5일 완성 프로젝트

KB070189

안쌤의 창의적 문제해결력

파이널
과학 50제

매스티안

구성과 특징

과학 사고력

영재성검사, 창의적 문제해결력 검사 및 평가, 창의탐구력 검사에 출제되는 문제 유형입니다. 개념 이해력을 평가할 수 있는 교과 개념과 관련된 사고력 문제 유형과, 탐구 능력을 평가할 수 있는 실험과 관련된 탐구력 문제 유형으로 구성하였습니다.

과학 창의성

영재성검사, 창의적 문제해결력 검사 및 평가에 출제되는 문제 유형입니다. 창의성 평가 요소 중 유창성과 독창성 및 융통성을 평가할 수 있는 창의성 문제 유형으로 구성하였습니다. 유창성은 원활하고 민첩하게 사고하여 많은 양의 산출 결과를 내는 능력으로, 어떤 문제의 유효한 아이디어를 제한된 시간 내에 많이 쏟아내야 합니다. 독창성은 새롭고 독특한 아이디어를 산출해 내는 능력으로, 유창성 점수를 받은 유효한 아이디어 중 같은 학년의 학생들이 생각할 수 있는 아이디어가 아닌 특이하고 새로운 방식의 아이디어인 경우 추가로 점수를 받을 수 있습니다. 융통성은 생성해 낸 아이디어의 범주의 수를 의미하며, 다양한 각도에서 생각해야 합니다.

과학 STEAM

창의적 문제해결력 검사 및 평가, 창의탐구력 검사에 출제되는 신유형의 융합사고력 문제입니다. 융합사고력 문제는 단계적 문제 유형으로, 첫 번째 문제로 문제 파악 능력을 평가하고, 두 번째 문제로 파악한 문제의 해결 능력을 평가할 수 있는 유형으로 구성하였습니다.

채점표

강별 배점이 100점이 되도록 문항별 점수와 평가 영역별 점수를 구성하였습니다. 과학 사고력 문항은 개념 이해력과 탐구 능력을, 과학 창의성은 유창성과 독창성 및 융통성을, 과학 STEAM은 문제 파악 능력과 문제 해결 능력을 평가 영역으로 구성하였습니다. 또한 채점 결과에 따른 문제 유형별 공부 방법을 제시하였습니다.

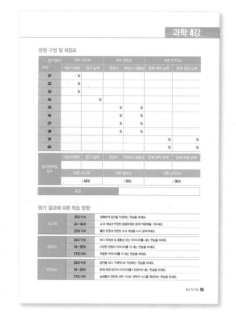

서술형 채점 기준

영재성검사, 창의적 문제해결력 검사 및 평가, 창의탐구력 검사에 출제되는 문제는 모두 서술형입니다. 부분 점수가 없는 객관식과 달리 서술형은 문제에서 요구하는 평가 요소들을 모두 넣어서 답안을 작성했는지에 따라 점수가 달라집니다. 자신의 답안을 채점 기준에 맞게 채점해 보면 서술형 답안 작성 방법을 연습할 수 있습니다.

부록 50제 시리즈로 대비할 수 있는 과학 대회 안내

다양한 과학 대회들 중 어떻게 대회를 준비해야 하는지 고민하시는 분들을 위해 50제 시리즈로 대비할 수 있는 과학 대회를 정리했습니다. 이 대회들은 영재교육원 문제 유형과 유사해서 미리 영재교육원 입시를 경험할 수 있고 실력을 체크할 수 있습니다. 각 대회의 기출 문제와 영재교육원 각 단계별 기출 문제를 같이 수록했습니다.를 소개하고 기출 문제 및 출제 문제 유형을 같이 수록했습니다.

목차

안쌤의 창의적 문제해결력

파이널 50제
과학1

초등
1·2
학년

과학 사고력 01

평가 영역
■ 과학 사고력   □ 과학 창의성
□ 과학 STEAM

평가 요소
■ 개념 이해력   □ 탐구 능력
□ 유창성   □ 독창성 및 융통성
□ 문제 파악 능력   □ 문제 해결 능력

교과 영역
□ 에너지   □ 물질   ■ 생명   □ 지구

난이도 ★ ★ ☆

추운 겨울이 되면 동물은 겨울을 날 준비를 한다. 곰은 두꺼운 낙엽 밑이나 땅속에서 겨울잠을 자며 겨울을 난다. 곰이 겨울잠을 자는 이유를 서술하시오. [8점]

과학 사고력 02

평가 영역
■ 과학 사고력 □ 과학 창의성
□ 과학 STEAM

평가 요소
□ 개념 이해력 ■ 탐구 능력
□ 유창성 □ 독창성 및 융통성
□ 문제 파악 능력 □ 문제 해결 능력

교과 영역
□ 에너지 ■ 물질 □ 생명 □ 지구

난이도 ★ ★ ★

주스를 살짝 얼려 떠먹는 슬러시는 얼음과 소금을 이용하면 간편하게 만들 수 있다. 먼저 큰 그릇에 얼음과 소금을 넣고, 작은 그릇에 주스를 넣는다. 주스가 담긴 작은 그릇을 큰 그릇 위에 올린 후, 주스를 저으면 주스가 살짝 얼면서 슬러시가 만들어진다. 얼음에 소금을 넣으면 주스가 어는 이유를 서술하시오. [8점]

과학 사고력
03

평가 영역

■ 과학 사고력 □ 과학 창의성
□ 과학 STEAM

평가 요소

■ 개념 이해력 □ 탐구 능력
□ 유창성 □ 독창성 및 융통성
□ 문제 파악 능력 □ 문제 해결 능력

교과 영역

■ 에너지 □ 물질 □ 생명 □ 지구

난이도 ★ ★ ☆

체감온도는 덥거나 춥다고 느끼는 정도를 계산해 숫자로 나타낸 온도를 의미한다. 온도계로 측정한 공기 온도를 의미하는 '기온'과는 다르다. 추운 겨울, 바람이 불면 같은 기온이더라도 체감온도가 더 낮아지는 이유를 서술하시오. [8점]

평가 영역

■ 과학 사고력　□ 과학 창의성
□ 과학 STEAM

평가 요소

□ 개념 이해력　■ 탐구 능력
□ 유창성　□ 독창성 및 융통성
□ 문제 파악 능력　□ 문제 해결 능력

교과 영역

□ 에너지　□ 물질　■ 생명　□ 지구

난이도 ★ ★ ★

칼로 사과를 잘라 두 접시에 각각 1개씩 올려놓고, 그중 1개는 유리 덮개로 덮어 놓았다. 유리 덮개를 덮지 않은 사과는 쭈글쭈글해졌지만, 유리 덮개로 덮어 놓은 사과는 거의 그대로 있었다. 사과가 쭈글쭈글해진 이유를 유리 덮개로 덮어 놓은 사과와 비교하여 서술하시오. [8점]

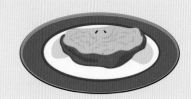

과학 창의성
05

평가 영역
□ 과학 사고력 ■ 과학 창의성
□ 과학 STEAM

평가 요소
□ 개념 이해력 □ 탐구 능력
■ 유창성 ■ 독창성 및 융통성
□ 문제 파악 능력 □ 문제 해결 능력

교과 영역
□ 에너지 □ 물질 □ 생명 ■ 지구

난이도 ★ ★ ☆

해마다 봄이면 누런 모래가 바람과 함께 날아와 우리나라의 하늘을 뒤덮곤 한다. 황사가 생기는 곳은 비가 거의 오지 않는 중국과 몽골의 사막지대로 봄이 오면 모래와 흙먼지가 편서풍에 실려 우리나라가 있는 동쪽으로 이동해 온다. 황사가 점점 더 심해지는 이유는 황사가 발생하는 사막이 늘어나고 있기 때문이다. 황사를 줄이는 방법을 세 가지 서술하시오. [10점]

①

②

③

과학 창의성

06

평가 영역
☐ 과학 사고력 ■ 과학 창의성
☐ 과학 STEAM

평가 요소
☐ 개념 이해력 ☐ 탐구 능력
■ 유창성 ■ 독창성 및 융통성
☐ 문제 파악 능력 ☐ 문제 해결 능력

교과 영역
☐ 에너지 ☐ 물질 ☐ 생명 ■ 지구

난이도 ★ ☆ ☆

비는 작은 물방울인 구름 알갱이들이 뭉치고 뭉쳐서 무거워지면 공중에 떠 있지 못하고 아래로 떨어지는 물방울을 말한다. 비는 내리는 형태, 계절, 지역에 따라 장마, 호우, 소나기, 뇌우 등 여러 가지 종류로 나눌 수 있다. 여름철에 자주 내리는 소나기의 특징을 세 가지 서술하시오. [10점]

①

②

③

과학 창의성
07

평가 영역
□ 과학 사고력 ■ 과학 창의성
□ 과학 STEAM

평가 요소
□ 개념 이해력 □ 탐구 능력
■ 유창성 ■ 독창성 및 융통성
□ 문제 파악 능력 □ 문제 해결 능력

교과 영역
□ 에너지 □ 물질 ■ 생명 □ 지구

난이도 ★ ★ ☆

꽃에는 암술과 수술이 있고 암술과 수술이 만나야 씨앗이 생긴다. 수술 끝에는 꽃가루가 있고 꽃가루가 암술머리에 닿는 것을 '꽃가루받이'라고 한다. 식물은 스스로 움직일 수 없으므로 누군가의 도움을 받아 '꽃가루받이'를 해야 한다. '꽃가루받이'를 도와주는 경우를 세 가지 서술하시오. [10점]

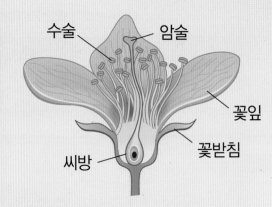

❶

❷

❸

평가 영역
□ 과학 사고력 ■ 과학 창의성
□ 과학 STEAM

평가 요소
□ 개념 이해력 □ 탐구 능력
■ 유창성 ■ 독창성 및 융통성
□ 문제 파악 능력 □ 문제 해결 능력

교과 영역
■ 에너지 □ 물질 □ 생명 □ 지구

난이도 ★ ★ ☆

물이 가득 들어 있는 페트병을 거꾸로 뒤집으면 물이 잘 나오지 않는다. 페트병 속의 물이 잘 나오도록 하는 방법을 세 가지 서술하시오.
[10점]

❶

❷

❸

다음은 벚꽃 축제에 관한 내용이다.

기사

흐드러지게 핀 벚꽃이 하늘을 가득 메운다. 2015년 서울의 벚꽃이 평년보다 13일이나 먼저 피는 등 곳곳에서 벚꽃들이 일찍 꽃망울을 터뜨렸다. 벚꽃이 너무 빨리 핀 탓에 축제를 준비하는 곳은 걱정이 많다. 2015년 서울 여의도 벚꽃 축제는 열흘이나 앞당겨져 4월 3일부터 시작되었다.

벚꽃 개화 시기는 1980년대 4월 12일, 1990년대 4월 10일, 2000년대 4월 7일, 2010년대에는 4월 1일로 집계됐다.

봄꽃 개화에 가장 큰 영향을 미치는 것은 2월과 3월 기온이다. 여기에 일조 시간과 강수량, 개화 직전의 날씨 변화 등에 따라 그 시기에 차이가 발생한다. 국내 10대 도시의 2월 평균기온은 1980년대 1.2 ℃에서 2000년대 3.0 ℃로 1.8 ℃나 높아졌다. 3월 역시 같은 기간 6.2 ℃에서 7.2 ℃로 1.0 ℃ 올랐다.

① 해마다 봄꽃이 피는 시기가 조금씩 빨라지는 이유를 서술하시오. [6점]

평가 영역

□ 과학 사고력   □ 과학 창의성
■ 과학 STEAM

평가 요소

□ 개념 이해력   □ 탐구 능력
□ 유창성   □ 독창성 및 융통성
■ 문제 파악 능력   □ 문제 해결 능력

교과 영역

□ 에너지   □ 물질   ■ 생명   ■ 지구

난이도 ★ ★ ☆

평가 영역

□ 과학 사고력 □ 과학 창의성
■ 과학 STEAM

평가 요소

□ 개념 이해력 □ 탐구 능력
□ 유창성 □ 독창성 및 융통성
□ 문제 파악 능력 ■ 문제 해결 능력

교과 영역

■ 에너지 ■ 물질 ■ 생명 ■ 지구

난이도 ★ ★ ★

2 우리나라의 기후가 조금씩 변하고 있다. 해마다 봄꽃이 조금씩 빨리 필뿐만 아니라 파파야와 애플 망고 등 더운 지방에서 재배되는 열대과일도 재배할 수 있어졌고 등검은말벌 등 더운 지역에서 볼 수 있는 새로운 곤충이 발견되기 시작했다.

○ 제주 애플 망고 농장

○ 등검은말벌

지구의 기후 변화를 막기 위해 우리가 할 수 있는 방법을 세 가지 서술하시오. [8점]

①

②

③

평가 영역
□ 과학 사고력　□ 과학 창의성
■ 과학 STEAM

평가 요소
□ 개념 이해력　□ 탐구 능력
□ 유창성　□ 독창성 및 융통성
■ 문제 파악 능력　□ 문제 해결 능력

교과 영역
□ 에너지　■ 물질　■ 생명　□ 지구

난이도 ★ ★ ★

다음은 생수에서 발견된 세균에 대한 내용이다.

기 사

최근 마시다 남은 물에서 세균이 과다 검출됐다는 사실이 알려지면서 일회용 페트병에 들어 있는 생수 속 세균에 대한 관심이 크게 늘었다.

한 실험에 따르면 일반 페트병을 실험실에 의뢰해 세균을 측정하자 뚜껑을 따자마자 측정한 페트병은 1 mL당 세균이 1마리가 검출됐다. 이는 마시는 물은 1 mL당 일반 세균이 100마리를 넘으면 안 된다는 기준에 적합한 수치라고 알려졌다.

하지만 뚜껑을 따고 한 모금 마신 직후에는 세균이 900마리 검출됐고. 마신 지 하루가 지난 물에서는 4만 마리가 넘는 세균이 검출돼 기준치의 400배를 넘었다.

❶ 입을 대고 마신지 하루가 지난 물에서 4만 마리가 넘는 세균이 검출되는 이유를 서술하시오. [6점]

평가 영역
□ 과학 사고력 □ 과학 창의성
■ 과학 STEAM

평가 요소
□ 개념 이해력 □ 탐구 능력
□ 유창성 □ 독창성 및 융통성
□ 문제 파악 능력 ■ 문제 해결 능력

교과 영역
□ 에너지 ■ 물질 ■ 생명 □ 지구

난이도 ★ ★ ☆

② 핸드 플레이트를 이용하면 쉽게 세균을 확인할 수 있다. 세균이 있는지 확인하고 싶은 물체를 핸드 플레이트에 살짝 접촉한 후 뚜껑을 닫고 37℃의 따뜻한 곳에 12~24시간 둔 후 핸드 플레이트의 변화를 관찰하면 된다.

핸드 플레이트를 이용하여 입을 대고 마신 생수병 안의 세균이 증가하는 정도가 온도와 어떤 관계가 있는지 확인할 수 있는 실험을 설계하시오. [8점]

안쌤의 창의적 문제해결력

파이널 50제
과학2

초등
1·2
학년

평가 영역

■ 과학 사고력　□ 과학 창의성
□ 과학 STEAM

평가 요소

■ 개념 이해력　□ 탐구 능력
□ 유창성　□ 독창성 및 융통성
□ 문제 파악 능력　□ 문제 해결 능력

교과 영역

□ 에너지　□ 물질　□ 생명　■ 지구

난이도 ★ ★ ☆

백록담은 제주도 한라산 꼭대기에 있는 호수이다. 백록담이 생겨난 과정을 서술하시오. [8점]

평가 영역
■ 과학 사고력 □ 과학 창의성
□ 과학 STEAM

평가 요소
□ 개념 이해력 ■ 탐구 능력
□ 유창성 □ 독창성 및 융통성
□ 문제 파악 능력 □ 문제 해결 능력

교과 영역
□ 에너지 □ 물질 □ 생명 ■ 지구

난이도 ★ ★ ★

한낮에 비치는 태양의 각도는 계절에 따라 다르다. 여름에는 높고 겨울에는 낮다. 우리 조상들은 계절에 따라 비치는 태양의 각도가 변하는 것을 한옥을 짓는 데 활용하였다. 한옥의 처마가 햇빛의 양을 어떻게 조절했는지 그림과 함께 서술하시오. [8점]

평가 영역
■ 과학 사고력　□ 과학 창의성
□ 과학 STEAM

평가 요소
■ 개념 이해력　□ 탐구 능력
□ 유창성　　　□ 독창성 및 융통성
□ 문제 파악 능력 □ 문제 해결 능력

교과 영역
□ 에너지 □ 물질 ■ 생명 □ 지구

난이도 ★ ★ ☆

동물은 다리나 날개가 있어 자유롭게 움직이지만, 식물은 뿌리가 땅 속에 박혀 있으므로 자유롭게 움직이지 못한다. 동물과 식물의 가장 큰 차이점은 먹이를 얻는 방법이다. 동물은 다른 생물을 먹이로 해서 살아간다. 식물이 먹이를 얻는 방법을 서술하시오. [8점]

과학 사고력
14

평가 영역
■ 과학 사고력　□ 과학 창의성
□ 과학 STEAM

평가 요소
■ 개념 이해력　□ 탐구 능력
□ 유창성　□ 독창성 및 융통성
□ 문제 파악 능력　□ 문제 해결 능력

교과 영역
■ 에너지　□ 물질　□ 생명　□ 지구

난이도 ★ ★ ☆

옹기를 만드는 흙에는 굵은 흙 알갱이들이 들어 있다. 옹기를 높은 온도로 구우면 수분이 증발하면서 눈에 보이지 않지만, 옹기 표면에 구멍이 생긴다. 이 구멍들로 물은 통하지 않고 공기만 통하기 때문에 옹기에 담긴 음식은 신선함을 오래 유지할 수 있다. 옹기의 모양도 음식을 상하지 않게 보관하는 것과 연관이 있다. 옹기의 허리 부분이 불룩한 이유를 두 가지 서술하시오. [8점]

①

②

평가 영역
□ 과학 사고력 ■ 과학 창의성
□ 과학 STEAM

평가 요소
□ 개념 이해력 □ 탐구 능력
■ 유창성 ■ 독창성 및 융통성
□ 문제 파악 능력 □ 문제 해결 능력

교과 영역
■ 에너지 □ 물질 □ 생명 □ 지구

난이도 ★ ★ ☆

온돌은 아궁이에 불을 때서 방바닥 밑의 구들장을 데워 방을 따뜻하게 하는 우리 고유의 난방방식이다. 온돌의 특징을 세 가지 서술하시오. [10점]

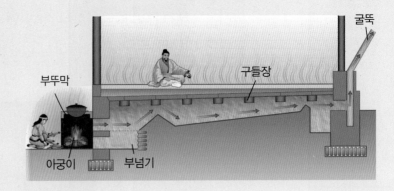

1

2

3

과학 창의성
16

평가 영역
☐ 과학 사고력 ■ 과학 창의성
☐ 과학 STEAM

평가 요소
☐ 개념 이해력 ☐ 탐구 능력
■ 유창성 ■ 독창성 및 융통성
☐ 문제 파악 능력 ☐ 문제 해결 능력

교과 영역
■ 에너지 ☐ 물질 ☐ 생명 ☐ 지구

난이도 ★ ★ ☆

아파트와 다세대주택 같은 공동주택에 살게 되면서 층간 소음은 사회적 문제로 떠오르고 있다. 발걸음 소리, 가구 끄는 소리, 화장실 물소리, 청소기 돌리는 소리, 세탁기 소리, 피아노 소리 등 사소한 생활 소음이 이웃에게 큰 고통을 줄 수 있다. 층간 소음을 줄일 수 있는 방법을 다섯 가지 서술하시오. [10점]

① _____

② _____

③ _____

④ _____

⑤ _____

과학 창의성

17

평가 영역
☐ 과학 사고력 ■ 과학 창의성
☐ 과학 STEAM

평가 요소
☐ 개념 이해력 ☐ 탐구 능력
■ 유창성 ■ 독창성 및 융통성
☐ 문제 파악 능력 ☐ 문제 해결 능력

교과 영역
■ 에너지 ☐ 물질 ☐ 생명 ■ 지구

난이도 ★ ☆ ☆

이순신 장군과 세종대왕은 우리 역사에서 가장 존경받는 인물이다. 이순신 장군은 임진왜란에서 수군을 이끌고 전투마다 승리를 거두어 왜군을 물리친 장군이며, 세종대왕은 조선 시대 왕 가운데 가장 뛰어난 능력을 갖췄고 많은 업적을 남긴 왕이다. 이순신 장군과 세종대왕의 공통점을 다섯 가지 서술하시오. [10점]

○ 이순신 장군

○ 세종대왕

①

②

③

④

⑤

평가 영역
☐ 과학 사고력 ■ 과학 창의성
☐ 과학 STEAM

평가 요소
☐ 개념 이해력 ☐ 탐구 능력
■ 유창성 ■ 독창성 및 융통성
☐ 문제 파악 능력 ☐ 문제 해결 능력

교과 영역
■ 에너지 ☐ 물질 ☐ 생명 ☐ 지구

난이도 ★ ★ ☆

미끄럼틀은 위에서 아래로 내려가며 미끄러지는 재미를 느끼는 놀이 기구이다. 그러나 위험한 사고들이 자주 일어나기도 한다. 미끄럼틀을 안전하고 재미있게 만드는 방법을 두 가지씩 서술하시오. [10점]

• 안전하게 만드는 방법

①

②

• 재미있게 만드는 방법

①

②

과학 2강

평가 영역
□ 과학 사고력   □ 과학 창의성
▩ 과학 STEAM

평가 요소
□ 개념 이해력   □ 탐구 능력
□ 유창성   □ 독창성 및 융통성
▩ 문제 파악 능력 □ 문제 해결 능력

교과 영역
□ 에너지 ▩ 물질 ▩ 생명 □ 지구

난이도 ★ ★ ★

다음은 김치에 관한 내용이다.

기사

우리 밥상에 오르는 여러 전통 음식 가운데 김치만큼 꾸준히 자리를 지켜온 음식도 드물다.

배추에 소금을 듬뿍 뿌려 착착 포개 밤샘을 하고 나면 적당히 절여지면서 배추의 숨이 죽는다. 소금 먹은 배추를 일일이 맹물로 깨끗이 씻은 후 김장거리를 버무려서 배춧잎 한 장 한 장을 들쳐 사이에 집어넣어 오므린 다음 통에 차곡차곡 눌러 담아  공기를 빼내고 온도가 낮고 온도 변화가 없는 곳에 둔다. 대부분 미생물은 소금에 절일 때 죽어버리지만 유산균(젖산균)은 소금에 잘 견디므로 살아남아서 김치를 발효시킨다. 아주 잘 익은 김치에는 유익한 유산균이 99 %가 들어있다. 그러나 시간이 지나 김치가 시어지면 유산균이 죽고 다른 균들이 활발히 활동하여 묵은김치를 만든다. 묵은김치에는 유산균이 거의 없다.

1 위 기사에서 김치를 발효시키는 유산균이 좋아하는 환경을 세 가지 찾아 쓰시오. [6점]

①

②

③

평가 영역
☐ 과학 사고력　☐ 과학 창의성
▣ 과학 STEAM

평가 요소
☐ 개념 이해력　☐ 탐구 능력
☐ 유창성　☐ 독창성 및 융통성
☐ 문제 파악 능력　▣ 문제 해결 능력

교과 영역
▣ 에너지　☐ 물질　▣ 생명　☐ 지구

난이도 ★ ★ ☆

2 지금은 김치를 담그면 김치냉장고에 보관하므로 김치를 오랫동안 맛있게 먹을 수 있다. 김치냉장고가 없던 먼 옛날에 우리 조상들이 일 년 내내 김치를 맛있게 먹기 위해 했던 방법과 원리를 서술하시오. [8점]

• 방법

• 원리

다음은 동계올림픽 종목 중 하나인 컬링 경기에 관한 내용이다.

기사

컬링은 각각 4명의 선수로 구성된 두 팀이 빙판 위에서 스톤을 표적 방향으로 미끄러뜨려 표적에 가까이 정지시키도록 하는 경기이다. 경기를 시작하기 전에 빙판과 스톤의 마찰력을 높이기 위하여 페블이라고 하는 얼음 알갱이를 뿌려놓는다. 한 사람이 스톤을 밀어서 던진 후 두 사람이 브룸이라고 하는 빗자루 모양의 솔을 이용하여 얼음을 닦아서 스톤의 진로와 속도를 조절하여 목표 지점에 최대한 가깝게 멈추도록 한다. 컬링은 스코틀랜드에서 16세기 이전부터 시작된 스포츠이며 현재는 동계 올림픽 정식 종목이다.

평가 영역
□ 과학 사고력 □ 과학 창의성
■ 과학 STEAM

평가 요소
□ 개념 이해력 □ 탐구 능력
□ 유창성 □ 독창성 및 융통성
■ 문제 파악 능력 □ 문제 해결 능력

교과 영역
■ 에너지 ■ 물질 □ 생명 □ 지구

난이도 ★ ☆ ☆

❶ 컬링 경기 시 두 선수가 브룸의 솔을 이용하여 스톤 주위의 얼음을 닦는다. 그 이유를 두 가지 서술하시오. [6점]

①

②

2 추운 겨울 쌓인 눈이나 녹은 눈이 얼어 빙판이 되면 미끄러져 넘어지는 낙상 사고가 자주 일어난다. 컬링 경기 역시 빙판길에서 열리기 때문에 선수들의 낙상 사고를 조심해야 한다. 컬링 선수들이 빙판 위에서 안전하고 빠르게 이동할 수 있도록 컬링 선수 신발을 디자인하고 원리를 서술하시오. [8점]

• 디자인

• 원리

안쌤의 창의적 문제해결력

파이널 50제

과학3

초등
1 · 2
학년

과학 사고력

21

평가 영역

■ 과학 사고력　□ 과학 창의성
□ 과학 STEAM

평가 요소

■ 개념 이해력　□ 탐구 능력
□ 유창성　□ 독창성 및 융통성
□ 문제 파악 능력　□ 문제 해결 능력

교과 영역

□ 에너지　□ 물질　□ 생명　■ 지구

난이도 ★ ★ ☆

지구는 태양으로부터 받은 에너지 일부는 흡수하고 일부는 지구 밖으로 내보내어 온도를 일정하게 유지한다. 그러나 산업의 발달로 석탄이나 석유와 같은 화석 연료를 많이 사용하게 되면서 지구의 온도는 점점 높아지고 있다. 그 이유를 서술하시오. [8점]

과학 사고력

22

평가 영역

■ 과학 사고력 ☐ 과학 창의성
☐ 과학 STEAM

평가 요소

■ 개념 이해력 ☐ 탐구 능력
☐ 유창성 ☐ 독창성 및 융통성
☐ 문제 파악 능력 ☐ 문제 해결 능력

교과 영역

☐ 에너지 ☐ 물질 ☐ 생명 ■ 지구

난이도 ★ ★ ☆

정오(12시)에는 햇빛이 머리 바로 위로 쏟아져 내리기 때문에 한 곳으로 전달되는 열에너지가 가장 많다. 그러나 하루 중 가장 기온이 높을 때는 오후 2시 무렵이다. 그 이유를 서술하시오. [8점]

고효 3군

과학 사고력
23

평가 영역
■ 과학 사고력 □ 과학 창의성
□ 과학 STEAM

평가 요소
■ 개념 이해력 □ 탐구 능력
□ 유창성 □ 독창성 및 융통성
□ 문제 파악 능력 □ 문제 해결 능력

교과 영역
□ 에너지 □ 물질 ■ 생명 □ 지구

난이도 ★ ★ ★

잠을 잘 때 답답하다고 이불을 걷어차 배를 내놓고 자거나 아이스크림과 같은 찬 음식을 많이 먹으면 배가 아프다. 그 이유를 서술하시오. [8점]

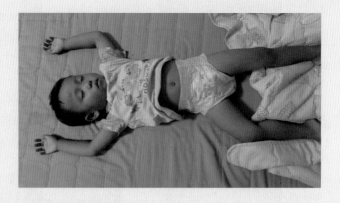

과학 사고력 24

평가 영역
■ 과학 사고력　□ 과학 창의성
□ 과학 STEAM

평가 요소
■ 개념 이해력　□ 탐구 능력
□ 유창성　□ 독창성 및 융통성
□ 문제 파악 능력　□ 문제 해결 능력

교과 영역
□ 에너지　□ 물질　■ 생명　□ 지구

난이도 ★ ★ ☆

준영이는 여름이 되면 날씨가 더워서 땀을 많이 흘린다. 날씨가 더울 때뿐만 아니라 운동을 하거나 활동이 많아져도 땀이 난다. 그 이유를 서술하시오. [8점]

과학 창의성 25

평가 영역
- ☐ 과학 사고력 ■ 과학 창의성
- ☐ 과학 STEAM

평가 요소
- ☐ 개념 이해력 ☐ 탐구 능력
- ■ 유창성 ■ 독창성 및 융통성
- ☐ 문제 파악 능력 ☐ 문제 해결 능력

교과 영역
- ☐ 에너지 ☐ 물질 ■ 생명 ☐ 지구

난이도 ★ ☆ ☆

여름에 나는 과일 또는 채소인 수박, 포도, 토마토, 감자, 복숭아, 참외를 두 분류로 나누려고 한다. 어떤 기준에 따라 나눌 수 있는지 다섯 가지 서술하시오. [10점]

♦ 수박　　　♦ 포도　　　♦ 토마토

♦ 감자　　　♦ 복숭아　　　♦ 참외

① _____

② _____

③ _____

④ _____

⑤ _____

평가 영역
□ 과학 사고력 ■ 과학 창의성
□ 과학 STEAM

평가 요소
□ 개념 이해력 □ 탐구 능력
■ 유창성 ■ 독창성 및 융통성
□ 문제 파악 능력 □ 문제 해결 능력

교과 영역
□ 에너지 □ 물질 ■ 생명 □ 지구

난이도 ★ ★ ☆

장수하늘소는 우리나라에서 가장 큰 곤충으로 천연기념물로 지정되어 보호되고 있다. 그러나 최근 그 수가 많이 줄어들어 '멸종 위기 야생 곤충' 중 1급으로 분류되어 있다. 장수하늘소가 사라져 가는 이유를 세 가지 서술하시오. [10점]

①

②

③

평가 영역
☐ 과학 사고력 ■ 과학 창의성
☐ 과학 STEAM

평가 요소
☐ 개념 이해력 ☐ 탐구 능력
■ 유창성 ■ 독창성 및 융통성
☐ 문제 파악 능력 ☐ 문제 해결 능력

교과 영역
☐ 에너지 ☐ 물질 ■ 생명 ☐ 지구

난이도 ★ ★ ☆

봄이 되면 산이나 들에 많은 산나물이 자란다. 하지만 독초를 산나물로 잘못 알고 먹는 사고가 자주 일어난다고 한다. 곰취와 동의나물은 생김새는 비슷하지만, 곰취는 산나물, 동의나물은 독초이다. 곰취와 동의나물의 사진을 보고 구분할 수 있는 방법을 세 가지 서술하시오.
[10점]

①

②

③

평가 영역
□ 과학 사고력   ■ 과학 창의성
□ 과학 STEAM

평가 요소
□ 개념 이해력   □ 탐구 능력
■ 유창성   ■ 독창성 및 융통성
□ 문제 파악 능력 □ 문제 해결 능력

교과 영역
□ 에너지   □ 물질   □ 생명   ■ 지구

난이도 ★ ☆ ☆

우리나라 한 해 일회용 종이컵 사용량은 약 135억 개이다. 일회용 종이컵은 나무를 베고 옮긴 다음 펄프, 종이, 컵의 과정을 거쳐 만들어지고, 사용 후에는 태우거나 묻는다. 각 과정에서 이산화 탄소가 나오고 많은 화학 약품이 사용된다. 환경 오염을 줄이기 위해 종이를 아껴 쓸 수 있는 방법을 다섯 가지 서술하시오. [10점]

❶

❷

❸

❹

❺

과학 STEAM
29

평가 영역
☐ 과학 사고력 ☐ 과학 창의성
■ 과학 STEAM

평가 요소
☐ 개념 이해력 ☐ 탐구 능력
☐ 유창성 ☐ 독창성 및 융통성
■ 문제 파악 능력 ☐ 문제 해결 능력

교과 영역
■ 에너지 ☐ 물질 ☐ 생명 ☐ 지구

난이도 ★ ★ ★

다음은 아이스크림에 관한 내용이다.

기사

아이스크림은 크림이나 우유, 설탕, 주스 등을 얼려서 만든 유제품이다. 최초의 아이스크림은 눈에 과일과 향료를 섞어 만든 것으로 냉장고가 없었기 때문에 왕족과 귀족들이 먹는 고급 간식이었다.
아이스크림은 1851년 미국인 제이콥 푸셀에 의해 대중화되었다. 아이스크림은 재료를 섞고 막대를 꽂아 충분히 얼려 딱딱하게 만든 하드 아이스크림, 완전히 얼리지 않은 소프트아이스크림, 콘에 담은 아이스크림콘, 아이스크림에 설탕에 조린 과일이나 초콜릿을 얹은 아이스크림선디 등 종류가 다양하다.

❶ 차가운 막대 아이스크림을 먹으려고 입에 넣으면 막대 아이스크림이 입술나 혀에 달라붙는 경우가 있다. 그 이유를 서술하시오. [6점]

2 얼음이나 막대 아이스크림이 입술이나 혀에 붙었을 때 그냥 떼어내면 살갗이 뜯겨 피가 나고 상처가 생긴다. 상처가 생기지 않도록 얼음이나 막대 아이스크림을 떼어내는 방법을 원리와 함께 두 가지 서술하시오. [8점]

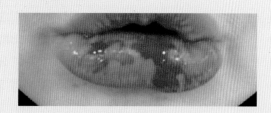

❶

❷

다음은 일본과 하와이 사이에 있는 플라스틱 섬에 대한 내용이다.

기사

1997년 북태평양을 항해하던 찰스 무어 선장은 바다 한가운데서 거대한 쓰레기 더미를 발견했다. 실제 미국 하와이주 북동부 태평양 바다 위에 초대형 쓰레기 더미가 떠다니고 있는 것으로 확인됐다. 태평양 플라스틱 섬으로 불리는 이 섬은 거대한 바다에 떠다니는 온갖 플라스틱 쓰레기들이 모여 이루어진 것이다. 선원들이 버리거나 강에서 바다로 흘러들어 간 플라스틱 쓰레기는 한동안 바다 위를 맴돌다가 한곳에 모인다. 플라스틱 섬의 쓰레기는 20 % 정도가 배에서 버린 것이고 나머지 80 %는 육지에서 떠내려온 것이다. 바다 위를 떠다니기 때문에 정확한 크기는 알 수 없지만 대략 우리나라의 7배 정도 크기에 약 1억 톤 정도 될 것으로 추측하고 있다.

1 사람이 살지 않는 먼바다 한가운데에 생긴 플라스틱 섬의 쓰레기는 결국 우리에게 피해를 미친다. 그 이유를 서술하시오. [6점]

평가 영역
■ 과학 사고력　□ 과학 창의성
□ 과학 STEAM

평가 요소
□ 개념 이해력　□ 탐구 능력
□ 유창성　□ 독창성 및 융통성
□ 문제 파악 능력　■ 문제 해결 능력

교과 영역
□ 에너지　■ 물질　■ 생명　□ 지구

난이도 ★ ★ ☆

2 엄청난 양의 쓰레기를 수거할 마땅한 방법이 없어 플라스틱 쓰레기 섬의 크기는 계속해서 커지고 있다. 1950년대부터 10년마다 10배씩 증가하여 오늘날 거대한 쓰레기 섬이 만들어졌다.

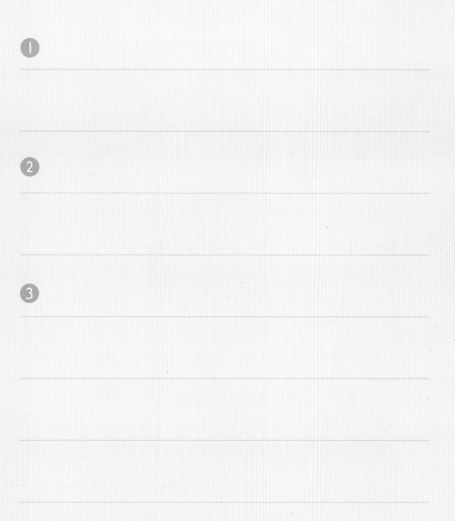

플라스틱 쓰레기의 양을 줄일 수 있는 방법을 세 가지 서술하시오. [8점]

① _____

② _____

③ _____

안쌤의 창의적 문제해결력

파이널 50제
과학4

초등
1·2
학년

과학 사고력

31

평가 영역

■ 과학 사고력　□ 과학 창의성
□ 과학 STEAM

평가 요소

■ 개념 이해력　□ 탐구 능력
□ 유창성　□ 독창성 및 융통성
□ 문제 파악 능력 □ 문제 해결 능력

교과 영역

□ 에너지 □ 물질 ■ 생명 □ 지구

난이도 ★ ★ ☆

추운 겨울이 되면 평소보다 소변이 더 자주 마려운 경험이 있을 것이다. 겨울에 소변이 더 자주 마려운 이유를 땀과 관련하여 서술하시오. [8점]

평가 영역

■ 과학 사고력 □ 과학 창의성
□ 과학 STEAM

평가 요소

■ 개념 이해력 □ 탐구 능력
□ 유창성 □ 독창성 및 융통성
□ 문제 파악 능력 □ 문제 해결 능력

교과 영역

■ 에너지 □ 물질 □ 생명 □ 지구

난이도 ★ ★ ★

겨울에 두꺼운 옷 하나를 입는 것보다 얇은 옷을 여러 겹 입는 것이 더 따뜻하다. 그 이유를 서술하시오. [8점]

추석(秋夕)을 글자대로 풀이하면 가을 저녁, 나아가서는 가을의 달빛이 가장 좋은 밤이라는 뜻으로, 달이 유난히 밝은 좋은 명절이라는 의미를 지니고 있다. 추석날 밤에는 달빛이 가장 좋다고 하여 월석(月夕)이라고도 한다. 달이 빛나는 이유를 서술하시오. [8점]

과학 사고력

34

평가 영역
■ 과학 사고력 □ 과학 창의성
□ 과학 STEAM

평가 요소
□ 개념 이해력 ■ 탐구 능력
□ 유창성 □ 독창성 및 융통성
□ 문제 파악 능력 □ 문제 해결 능력

교과 영역
□ 에너지 □ 물질 ■ 생명 □ 지구

난이도 ★ ★ ☆

씨앗에서 싹이 트게 하려면 어떤 조건이 필요한지 알아보려고 한다. 다음은 씨앗이 싹트는 데 물이 미치는 영향을 알아보기 위한 실험과 정이다.

• 준비물 : 페트리 접시 2개, 강낭콩, 솜, 물

• 실험 방법
① 두 개의 페트리 접시에 솜을 깔고 강낭콩을 넣는다.
② _____.
③ _____.

---

②와 ③에 들어갈 실험 방법을 서술하시오. [8점]

평가 영역
□ 과학 사고력　■ 과학 창의성
□ 과학 STEAM

평가 요소
□ 개념 이해력　□ 탐구 능력
■ 유창성　■ 독창성 및 융통성
□ 문제 파악 능력　□ 문제 해결 능력

교과 영역
□ 에너지　□ 물질　■ 생명　□ 지구

난이도 ★ ★ ☆

사과의 껍질을 깎아 놓으면 사과의 색깔이 갈색으로 변하는 데 이를 '갈변'이라고 한다. 사과가 공기 중에 노출되면 산소와 반응하기 때문에 나타나는 현상이다. 사과의 갈변을 막기 위한 방법을 세 가지 서술하시오. [10점]

①

②

③

과학 창의성

36

평가 영역
□ 과학 사고력 ■ 과학 창의성
□ 과학 STEAM

평가 요소
□ 개념 이해력 □ 탐구 능력
■ 유창성 ■ 독창성 및 융통성
□ 문제 파악 능력 □ 문제 해결 능력

교과 영역
□ 에너지 □ 물질 ■ 생명 □ 지구

난이도 ★ ★ ★

다음은 모기가 어떤 경우에 잘 무는지 실험을 한 결과이다.

구분	운동을 하지 않은 사람	운동을 한 사람
모기가 무는 횟수	3번	9번

구분	수컷 모기	암컷 모기
모기가 무는 횟수	1번	7번

구분	호흡이 많은 사람	호흡이 적은 사람
모기가 무는 횟수	8번	1번

실험 결과로 알 수 있는 사실을 다섯 가지 서술하시오. [10점]

①

②

③

④

⑤

평가 영역
☐ 과학 사고력 ▣ 과학 창의성
☐ 과학 STEAM

평가 요소
☐ 개념 이해력 ☐ 탐구 능력
▣ 유창성 ▣ 독창성 및 융통성
☐ 문제 파악 능력 ☐ 문제 해결 능력

교과 영역
☐ 에너지 ☐ 물질 ▣ 생명 ☐ 지구

난이도 ★ ★ ★

겨울철에 출입문 손잡이나 차 문을 잡는 순간 손끝이 찌릿찌릿한 통증을 느끼게 된다. 이것이 바로 정전기이다. 여름철에는 공기 중에 수증기가 많지만, 겨울철에는 공기 중에 수증기가 많지 않아 몸에 쌓여있던 정전기가 물체에 닿는 순간 흐르게 되어 찌릿찌릿한 통증을 느낀다. 생활 속에서 정전기를 예방할 수 있는 방법을 다섯 가지 서술하시오. [10점]

① _____

② _____

③ _____

④ _____

⑤ _____

과학 창의성

38

평가 영역

☐ 과학 사고력　■ 과학 창의성
☐ 과학 STEAM

평가 요소

☐ 개념 이해력　☐ 탐구 능력
■ 유창성　■ 독창성 및 융통성
☐ 문제 파악 능력　☐ 문제 해결 능력

교과 영역

☐ 에너지　☐ 물질　☐ 생명　■ 지구

난이도 ★ ★ ☆

지금 전 세계는 날로 심각해지는 환경 오염 문제에 귀를 기울이고 있다. 그중에서도 우리가 무심코 사용하는 수많은 일회용 페트병을 줄이자는 움직임이 커지고 있다. 하루에 소비되는 페트병을 전 세계적으로 상상해본다면 그 양은 셀 수 없을 정도로 어마어마할 것이다. 페트병의 문제점 다섯 가지를 서술하시오. [10점]

①

②

③

④

⑤

고학 4강

초등1·2학년 4강 **55**

다음은 우리나라 민속놀이인 팽이치기에 대한 내용이다.

기사

설날 아침 경복궁 향원정 앞 꽁꽁 언 연못에서 팽이치기 민속놀이 체험이 열렸다. 팽이치기는 주로 겨울철에 어린이들이 얼음판 위에서 원뿔 모양으로 깎아 만든 팽이를 채로 쳐서 돌리며 즐기는 놀이이다.

팽이 끝에는 작고 둥근 뿔이나 못을 박아서 쉽게 닳지 않으면서도 오래 돌아가도록 만들기도 하고, 윗부분에는 태극무늬나 물감으로 여러 가지 모양을 그려서 돌아갈 때 아름다움을 나타내기도 한다.

팽이는 보통 몸통을 채로 후려치며 돌리는데, 채 막대의 길이는 50 cm쯤으로 끝에는 명주실이나 노끈 꼰 것을 잡아맨다. 끈의 끝 부분은 실오라기가 약간 풀려서 나불거려야 팽이에 닿는 부분이 넓어져서 오래 돌아간다.

평가 영역
□ 과학 사고력 □ 과학 창의성
■ 과학 STEAM

평가 요소
□ 개념 이해력 □ 탐구 능력
□ 유창성 □ 독창성 및 융통성
■ 문제 파악 능력 □ 문제 해결 능력

교과 영역
■ 에너지 ■ 물질 □ 생명 □ 지구

난이도 ★ ★ ☆

1 팽이치기를 얼음판 위에서 하는 이유를 서술하시오. [6점]

평가 영역
☐ 과학 사고력 ☐ 과학 창의성
▩ 과학 STEAM

평가 요소
☐ 개념 이해력 ☐ 탐구 능력
☐ 유창성 ☐ 독창성 및 융통성
☐ 문제 파악 능력 ▩ 문제 해결 능력

교과 영역
▩ 에너지 ▩ 물질 ☐ 생명 ☐ 지구

난이도 ★ ★ ☆

❷ 팽이는 박달나무나 대속나무와 같이 무겁고 단단한 나무를 깎아서 만들었다. 무겁고 단단한 나무일수록 끝이 쉽게 무뎌지지 않고 오래가기 때문이다. 나무 대신 가을철 산에서 쉽게 볼 수 있는 도토리로 팽이를 만들려고 한다. 여러 가지 모양의 도토리 중 한 가지를 선택하고, 오래 돌아가는 팽이를 만드는 방법을 서술하시오. [8점]

◉ 상수리나무 도토리　　◉ 신갈나무 도토리　　◉ 졸참나무 도토리

과학 사고력

40

다음은 전기 에너지에 대한 내용이다.

기사

2011년 9월 15일 서울 강남과 여의도 일대를 비롯해 경기, 강원, 충청 등 제주를 제외한 전국 곳곳이 기습적으로 정전되는 사상 초유의 사태가 발생했다. 근래 들어 냉난방 전력수요가 폭발적으로 늘어나면서 매년 겨울과 여름에는 '전력 보릿고개'라는 신조

● 정전으로 꺼진 신호등

어가 생겨났다. 이는 전기의 생산 증가보다 소비 증가율이 높았기 때문이다. 9 · 15 전력 대란 이후, 정부에서는 기업 활동 및 시민들의 생활에 지장이 되지 않는 한도 내에서 에너지 절약을 위한 캠페인을 시행하고 있다. 전기절약은 습관에서 비롯된다. 아무런 의미 없이 플러그만 꽂아 놓을 때 소비되는 전력이 우리나라 가정 에너지 사용량의 11 %에 해당하고, 전국에 있는 에어컨 온도를 1 ℃만 올려도 한 해에 2조 원이나 절감할 수 있다.

1 길을 지나가다 보면 전봇대나 변압기 상자에 '전기는 국산이지만 원료는 수입이다.'라는 글귀가 적혀 있는 것을 볼 수 있다. 이 글이 의미하는 내용을 서술하시오. [6점]

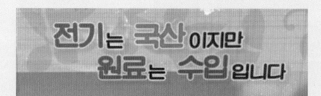

평가 영역

□ 과학 사고력　□ 과학 창의성
■ 과학 STEAM

평가 요소

□ 개념 이해력　□ 탐구 능력
□ 유창성　□ 독창성 및 융통성
□ 문제 파악 능력　■ 문제 해결 능력

교과 영역

■ 에너지　□ 물질　□ 생명　■ 지구

난이도 ★ ★ ☆

2 원료를 수입하지 않고 전기를 만들 수 있는 방법을 다섯 가지 서술하시오. [8점]

초등 1·2학년 4강

①

②

③

④

⑤

안쌤의 창의적 문제해결력

파이널 50제
과학 5

초등
1·2
학년

과학 사고력
41

평가 영역
☑ 과학 사고력 ☐ 과학 창의성
☐ 과학 STEAM

평가 요소
☑ 개념 이해력 ☐ 탐구 능력
☐ 유창성 ☐ 독창성 및 융통성
☐ 문제 파악 능력 ☐ 문제 해결 능력

교과 영역
☐ 에너지 ☐ 물질 ☑ 생명 ☐ 지구

난이도 ★ ★ ☆

호흡은 숨을 들이마시고 내쉬는 과정으로 산소를 흡수하고 이산화탄소를 내보낸다. 산과 같이 높은 곳에 올라갈 때, 높이 올라갈수록 호흡이 가빠지는 이유를 서술하시오. [8점]

과학 사고력
42

평가 영역
■ 과학 사고력 □ 과학 창의성
□ 과학 STEAM

평가 요소
■ 개념 이해력 □ 탐구 능력
□ 유창성 □ 독창성 및 융통성
□ 문제 파악 능력 □ 문제 해결 능력

교과 영역
■ 에너지 □ 물질 □ 생명 □ 지구

난이도 ★ ★ ★

−40 ℃까지 추워지는 북극에서 에스키모인들은 이글루를 통해 추위를 이겨낸다. 이글루는 눈을 다져 눈 벽돌을 만들고, 그 눈 벽돌로 집을 지은 것이다. 눈 벽돌로 지은 이글루 안이 따뜻한 이유를 서술하시오. [8점]

과학 사고력

43

눈에는 여러 가지 종류가 있다. 가장 가볍고 고운 '가루눈'은 아주 추운 날 내린다. 가루눈은 잘 뭉쳐지지 않기 때문에 눈싸움에는 적합한 눈이 아니다. 어떤 눈이 눈싸움에 적합한지 서술하시오. [8점]

평가 영역

■ 과학 사고력 □ 과학 창의성
□ 과학 STEAM

평가 요소

■ 개념 이해력 □ 탐구 능력
□ 유창성 □ 독창성 및 융통성
□ 문제 파악 능력 □ 문제 해결 능력

교과 영역

□ 에너지 □ 물질 □ 생명 ■ 지구

난이도 ★ ★ ☆

과학 사고력

44

평가 영역
■ 과학 사고력　□ 과학 창의성
□ 과학 STEAM

평가 요소
■ 개념 이해력　□ 탐구 능력
□ 유창성　□ 독창성 및 융통성
□ 문제 파악 능력　□ 문제 해결 능력

교과 영역
□ 에너지　□ 물질　■ 생명　□ 지구

난이도 ★ ★ ☆

감기에 걸리거나 몸이 좋지 않을 때는 몸에서 열이 난다. 아플 때 몸에서 열이 나는 이유를 서술하시오. [8점]

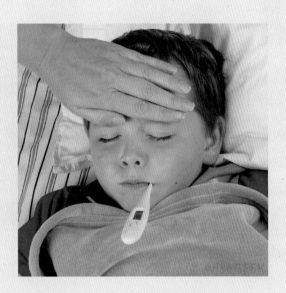

과학 창의성

평가 영역
☐ 과학 사고력　■ 과학 창의성
☐ 과학 STEAM

평가 요소
☐ 개념 이해력　☐ 탐구 능력
■ 유창성　■ 독창성 및 융통성
☐ 문제 파악 능력　☐ 문제 해결 능력

교과 영역
☐ 에너지　■ 물질　☐ 생명　☐ 지구

난이도 ★ ☆ ☆

물을 냉동실에 넣어두면 얼음이 된다. 얼음의 모양, 색깔, 느낌 등 얼음을 관찰한 내용을 다섯 가지 서술하시오. [10점]

❶

❷

❸

❹

❺

평가 영역
- ☐ 과학 사고력 ■ 과학 창의성
- ☐ 과학 STEAM

평가 요소
- ☐ 개념 이해력 ☐ 탐구 능력
- ■ 유창성 ■ 독창성 및 융통성
- ☐ 문제 파악 능력 ☐ 문제 해결 능력

교과 영역
- ☐ 에너지 ☐ 물질 ■ 생명 ☐ 지구

난이도 ★ ★ ★

나비와 나방은 비슷한 모습을 가졌지만 차이점을 알고 보면 구별하기 어렵지 않다. 나비와 나방의 차이점을 다섯 가지 서술하시오. [10점]

◑ 나비

◑ 나방

① _____

② _____

③ _____

④ _____

⑤ _____

평가 영역
☐ 과학 사고력 ■ 과학 창의성
☐ 과학 STEAM

평가 요소
☐ 개념 이해력 ☐ 탐구 능력
■ 유창성 ■ 독창성 및 융통성
☐ 문제 파악 능력 ☐ 문제 해결 능력

교과 영역
■ 에너지 ☐ 물질 ☐ 생명 ☐ 지구

난이도 ★ ☆ ☆

빛은 우리 생활에서 꼭 필요하지만, 빛을 가려야 하는 때도 있다. 인삼은 너무 강한 빛을 받으면 잘 자라지 않으므로 검은색 천으로 빛을 가려준다. 빛을 가리는 경우의 예를 다섯 가지 쓰고, 빛을 가리는 이유를 서술하시오. [10점]

예	빛을 가리는 이유

과학 창의성

48

평가 영역
☐ 과학 사고력 ☒ 과학 창의성
☐ 과학 STEAM

평가 요소
☐ 개념 이해력 ☐ 탐구 능력
☒ 유창성 ☒ 독창성 및 융통성
☐ 문제 파악 능력 ☐ 문제 해결 능력

교과 영역
☐ 에너지 ☒ 물질 ☐ 생명 ☐ 지구

난이도 ★ ★ ☆

추운 겨울날 입김을 불면 입김이 뿌옇게 변한다. 온도가 낮아 수증기가 물로 변했기 때문이다. 생활 속에서 수증기가 물이 되는 현상을 다섯 가지 서술하시오. [10점]

❶

❷

❸

❹

❺

과학 STEAM
49

다음은 스마트폰이 불러온 질병에 관한 내용이다.

스마트폰 중독은 담배나 알코올 보다 위험할 수 있다며 영국의 한 연구팀에서 스마트폰이 불러온 질병 6가지-거북목(일자목) 증후군, 손목 터널 증후군, 안구건조증, 디지털치매, 수면장애, 디지털 격리 증후군-를 발표했다.

스마트폰을 오랜 시간 눈높이보다 아래로 내려다보면 자연스럽게 목이 아래로 내려오게 되고 거북이처럼 목을 앞으로 쭉 뺀듯한 자세나 형태가 된다. 거북목 증후군으로 인해 등 근육에 영향이 가게 되고, 그로 인한 어깨 통증, 두통, 허리 통증 등 다양하게 통증 및 질환이 유발될 수 있다.

평가 영역
□ 과학 사고력 □ 과학 창의성
■ 과학 STEAM

평가 요소
□ 개념 이해력 □ 탐구 능력
□ 유창성 □ 독창성 및 융통성
■ 문제 파악 능력 □ 문제 해결 능력

교과 영역
□ 에너지 ■ 물질 ■ 생명 □ 지구

난이도 ★ ★ ☆

❶ 안구건조증이란 외부적 자극으로부터 눈을 보호해야 할 눈물이 어떤 원인에 의해 생성이 부족해지거나 증발이 많아진 상태 또는 일반 눈물의 구성 성분의 균형이 깨진 상태이다. 눈물의 역할을 세 가지 서술하시오. [6점]

❶ _____

❷ _____

❸ _____

_____

_____

평가 영역
☐ 과학 사고력 ☐ 과학 창의성
■ 과학 STEAM

평가 요소
☐ 개념 이해력 ☐ 탐구 능력
☐ 유창성 ☐ 독창성 및 융통성
☐ 문제 파악 능력 ■ 문제 해결 능력

교과 영역
■ 에너지 ☐ 물질 ■ 생명 ☐ 지구

난이도 ★ ★ ★

2 스마트폰 중독은 일반적인 인터넷 중독보다도 신체적인 건강의 문제를 더 키울 수 있다. 스마트폰 중독을 예방하고 건강을 위한 올바른 스마트폰 사용법을 다섯 가지 서술하시오. [8점]

❶

❷

❸

❹

❺

과학 STEAM 50

다음은 야생동물의 겨울나기에 대한 내용이다.

기사

겨울철 한파 때문에 먹을 게 없어 죽거나 다치는 동물들이 많다. 특히 겨울에 번식하는 고라니의 피해가 크다. 충남 태안의 농경지에서 발견된 멸종 위기종 1급인 흰꼬리수리는 상처는 없지만, 오랫동안 굶어 날개조차 제대로 펼치지 못한다. 강원도 철원에서는 이달 초 천연기념물인 독수리와 재두루미가 먹이를 구하지 못해 탈진해 죽은 채 발견되었다.

야생동물 보호 협회는 겨울철을 맞아 야생동물의 건강한 겨울나기를 돕기 위해 곳곳에 동물 사료, 곡식, 해바라기 씨 등 야생 동물 먹이를 살포했다.

평가 영역
□ 과학 사고력 □ 과학 창의성
■ 과학 STEAM

평가 요소
□ 개념 이해력 □ 탐구 능력
□ 유창성 □ 독창성 및 융통성
■ 문제 파악 능력 □ 문제 해결 능력

교과 영역
□ 에너지 ■ 물질 ■ 생명 □ 지구

난이도 ★ ★ ☆

1 추운 겨울이 되면 사람들은 두꺼운 옷을 입고 보일러와 난로를 이용하여 난방하며 따뜻하게 지냅니다. 동물들이 추운 겨울을 나는 방법을 세 가지 서술하시오. [6점]

①

②

③

과학
5
강

평가 영역
□ 과학 사고력 □ 과학 창의성
■ 과학 STEAM

평가 요소
□ 개념 이해력 □ 탐구 능력
□ 유창성 □ 독창성 및 융통성
□ 문제 파악 능력 ■ 문제 해결 능력

교과 영역
■ 에너지 □ 물질 ■ 생명 □ 지구

난이도 ★ ★ ☆

2 동물들은 추위를 타지 않는다고 생각하는 사람이 많다. 그러나 북극곰과 한국호랑이같이 추위에 강한 동물이 있고, 코끼리나 사막여우처럼 더위에 강한 동물이 있다. 동물원의 동물들이 매서운 추위를 이겨내는 방법을 세 가지 서술하시오. [8점]

❶

❷

❸

50제 시리즈로 대비할 수 있는
과학 대회 안내

☑ **6월** 전국 초등과학 창의사고력 대회
　　　 – 서울교육대학교 주최

☑ **7월** 한국 과학 창의력 대회
　　　 – 과교총(한국과학교육단체총연합회) 주최

☑ **9월** 영재교육대상자 선발
　　　 – 교육청 주최

전국 초등과학 창의사고력대회

👓 목적

초등학생들의 과학적 흥미를 증진시키고, 과학적 사고력, 창의적 문제해결능력 등을 알아보며, 본 대회를 통하여 초등학교 과학 관련 교육과정의 정상적 운영에 기여한다.

- 주최 : 서울교육대학교　■ 주관 : 기초과학연구원　■ 후원 : 한택식물원, 뉴턴코리아

👓 대상 및 참가인원

- 대상 : 전국 초등학교 3, 4, 5, 6학년 학생
- 참가인원 : 각 학년별 700명 내외
- 참가비 : 36,000원(접수비 6,000원 포함)

👓 일시 및 장소

- 경시대회 일시 : 6월 둘째 주 일요일 (4, 6학년 10 : 00 ～ 12 : 00 / 3, 5학년 14 : 30 ～ 16 : 30)
- 시험장소 : 서울교육대학교
- 시험방법 : 1, 2교시로 나누어 실시 (1교시 – 객관식, 2교시 – 주관식)

👓 출제안내

- 출제범위 : 하위 학년 전(全) 과정부터 해당 학년 시험 당일 이전 단원(1학기 2단원)

구분	문항수	문제유형	시험시간	출제경향
1교시 객관식	20문항	5지 선다형	50분	교과과정을 충분히 이해하고 응용하여 풀 수 있는 창의사고력 문제
2교시 주관식	5문항	서술형	50분	교과과정 중 개념을 이해하고 종합적 사고력과 문제해결력을 평가할 수 있는 문제

- 출제위원 : 서울교대 과학교육과 교수진으로 구성
- 접수기간 : 5월초 ～ 6월초

객관식

[Ⅰ] 병만족이 무인도에서 생존하기 위해 소금알을 만들 계획이다. 주어진 시간 내에 소금알을 얻기 위해 꼭 필요한 도구 2가지만 고른 것은?

① 바나나와 비닐끈   ② 주머니칼과 손수건   ③ 부싯돌과 조개껍질

④ 낚싯바늘과 물안경   ⑤ 페트병과 야자열매

[Ⅱ] 공기도 무게를 가지고 있다. 그릇의 크기가 가로, 세로, 높이가 각각 1 m인 정육면체의 그릇에 안에 있는 공기의 무게와 그 변화에 대한 내용으로 옳은 것을 보기에서 고른 것은?

가. 750 g	나. 1,200 g	다. 항상 같다.
라. 날씨에 따라 다르다.	마. 비가 내리는 날 이외에는 모두 같다.	

① 가, 다   ② 가, 라   ③ 나. 다   ④ 나, 라   ⑤ 가, 마

[Ⅲ] 어느 과학자가 로봇 잠자리를 만들었는데 이 로봇 잠자리는 실제 잠자리와 나는 원리가 같다. 달에서 이 로봇이 날기 위해서 고려해야 할 조건은?

① 달에는 공기가 없다.   ② 달에는 물이 없다.   ③ 달에는 돌이 많다.

④ 달에는 바다와 육지가 있다.   ⑤ 달에는 로봇 잠자리가 쓸 연료가 없다.

서술형

[Ⅰ] 단풍나무 씨가 뱅그르르 돌며 떨어지는 것을 보고 헬리콥터가 발명되었다. 이처럼 동식물을 본떠 만든 도구나 발명품을 쓰고, 원리를 서술하시오.

[Ⅱ] 아프리카에 사는 라말은 사금 채취를 하며 살아간다.

① 사금 채취의 원리를 서술하시오.

----

② 라말이 사금 채취를 더 쉽게 할 수 있는 발명품을 고안하고, 원리를 서술하시오.

[Ⅲ] 어느 도시에 인구가 1천만 명이면 공중목욕탕은 모두 몇 개가 있어야 적당할지 추리하여 서술하시오.

한국 과학 창의력 대회

목적

지식 기반사회를 이끌어 갈 창의성과 리더십을 가진 융합인재의 육성을 위해 창의적인 과학 활동의 기회를 제공하고, 새로운 지식 창출을 가능하게 하는 과학 창의력 평가의 새로운 틀을 제공함으로써 창의성 신장 교육을 활성화시킨다.

개요

- 매년 새로운 과학 창의성 평가방법을 도입하여 운영한다.
- 대회를 한국과교총이 직접 주관하여 운영하며 공정하고 투명한 대회로 발전시킨다.
- 시·도 과교총의 적극적인 참여로 역할을 분담하여 운영한다.
- 대회 참가자의 참가자격 기준은 학교장 추천을 받은 학생으로 하며 1차 예선대회를 거쳐 2차 전국대회를 실시한다.
- 참가대상은 초등학교 4~6학년, 중·고등학교 1~3학년으로 한다.
- 1차 대회에서는 창의적 과학 문제 해결 능력을 지필 평가 하고, 2차 대회에서는 융합과학 창의적 산출물을 직접 제작하는 활동으로 수행 평가한다.
- 평가 및 시상은 학교 급별 및 학년별로 구분하여 실시한다.
- 최우수상을 수상한 학생은 학생과학해외탐방 참가 기회를 부여한다.
- 한국과교총에서는 시·도 시험장 운영에 대한 행사경비를 지원한다.

참가 및 일정

- ■ 참가 대상 및 자격
- 참가대상
  - 1차 시험 대상 : 초등학교 4~6(Ⅰ), 중학교 1~3(Ⅱ), 고등학교 1~3(Ⅲ), 과학고·과학영재학교(Ⅳ)
- 참가 인원 및 자격
  - 학년별 4명 이내 (단, 학년 당 학급 규모가 11 학급 이상의 경우 6명 이내)
  - 과학성적 우수자, 과학대회 및 과학체험활동에서 우수한 역량을 발휘한 자
- 일시 : 7월 둘째주 토요일
  - 초등학교 : 09 : 00~10 : 00
  - 중학교, 일반계고, 과학고, 과학영재학교 : 11 : 00~12 : 00
- ■ 2차 전국대회
- 한국과학교육단체총연합회 주관으로 한다.
- 참가 대상 및 인원 : 1차 예선에서 선발된 각 학년별 10명 내외의 학생
  - 일시 및 장소 : 2014년 8월 23일(토), 서울특별시과학전시관
  - 진행 및 방법 : 제시된 문제와 관련된 창의적 산출물을 제작하고 평가한다.

[l] 다음은 양초가 타고 있는 모습을 찍은 사진이다.

① 다음 사진을 자세히 관찰하고 관찰한 현상 다섯 가지와 그러한 현상이 일어나는 까닭을 쓰시오.

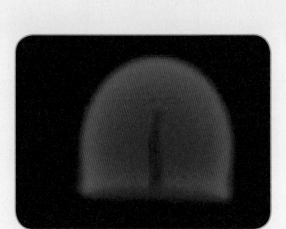

② 다음 사진과 같이 양초의 불꽃을 동그란 종 모양으로 만들 수 있는 과학적인 방법 두 가지와 그것이 가능한 이유를 쓰시오.

영재교육대상자 선발

선발 방법 및 시기

기관 구분	선발 방법	선발 시기
교육지원청 영재교육원	교사 관찰·추천에 의한 선발	8월~12월
단위학교 영재교육원	교사 관찰·추천에 의한 선발	8월~12월
직속기관 영재교육원	1학년 : 교사 관찰·추천 및 영재성검사(3단계 전형)	8월~12월
대학부설 영재교육원	교사 관찰·추천에 의한 선발	8월~2015년 5월
영재학급	교사 관찰·추천에 의한 선발	2월~4월

관찰·추천 절차 및 방법

■ 교육지원청 영재교육원 및 직속기관, 단위학교 영재교육원

단계	추진내용	인원	담당	담당 기관
자기 추천	자기 추천 (영재교육 희망 학생)	희망 학생	해당 학생	GED 추천 시스템 활용
1단계	관찰대상자 선정 (담임 및 교과담당 교사)	희망 학생	담임(교과)교사	단위학교
2단계	집중관찰 및 기록 학교별 대상자 추천	1단계 선정된 학생	담임(교과)교사 집중관찰 위원 영재추천위원회	단위학교

• 단위학교에서 할 일
 - 자기 추천
   영재교육을 희망하는 학생이 GED(영재교육종합데이터베이스) 추천시스템에 접속하여 체크리스트, 자기소개서 등 작성 및 영재교육대상자 선발 지원
 - 1단계
   담임(교과) 교사가 희망자를 대상으로 학교생활 속에서 비교적 장기간 관찰한 내용을 토대로 GED 추천시스템을 활용하여 체크리스트 등 작성
 - 2단계
   담임교사와 집중관찰 위원의 관찰 결과를 종합하여 영재교육대상자 추천위원회에서 학교별로 추천할 영재교육대상자를 결정하는 단계이다. 집중관찰 위원은 담임(교과)교사의 체크리스트 결과와 면담 및 자유탐구 과정 등을 종합하여 영재추천위원회에 보고하고, 영재교육대상자 추천위원회에서 학교별로 추천할 영재교육대상자를 결정한다.

• 교육지원청 및 직속기관, 단위학교 영재교육원에서 할 일

단계	추진내용	인원	담당	담당 기관
응시 대상자 발표	3단계 응시대상자 발표	학교별 일정 비율 선발	외부 심사위원	영재교육기관
3단계	창의적 문제 해결력 평가	최종 선발인원의 1.2배수	외부 심사위원	영재교육기관
4단계	인성·심층면접	최종 선발인원	외부 심사위원	영재교육기관
심의	최종 합격자 선정 심의	최종 선발인원	영재교육대상자 선정심사위원회	영재교육기관

- 3단계 응시대상자 발표

  단위학교에서 추천한 학생들을 대상으로 3단계(창의적 문제해결력 평가) 응시대상자를 선정하여 발표

- 3단계

  3단계 응시대상자를 대상으로 창의적 문제해결력 평가 등으로 최종선발인원의 1.2배수를 선정

- 4단계

  영재교육원에서 인성·심층면접으로 최종 선발인원을 영재교육대상자 선정심사위원회에 심의 상정

- 심의

  영재교육대상자 선정심사위원회의 심의를 통해 최종 선정

■ 대학부설 영재교육원

• 단위학교에서 할 일

  단위 학교에서 1, 2 단계를 실시하여 대학부설 영재교육원의 요강에 따라 학교별로 추천

• 대학부설 영재교육원에서 할 일

  해당 영재교육기관의 자체 계획에 의해 1차 서류 전형, 2차 면접 등 관찰·추천으로 선발한다.

2단계 관찰대상자 집중 관찰

👓 집중 관찰의 의미

단위학교에서의 영재교육대상자 추천은 전체 선발 과정에서 가장 기초적이면서도 중요한 단계이다. 학교는 학생들이 가장 많은 시간을 보내는 곳이며, 수업 시간, 쉬는 시간, 학급 활동 등 다양한 상황에서 또래나 교사와의 상호작용을 통해 학생의 잠재성이 여러 방식으로 발현되는 공간이다. 학교에서 드러나는 학생의 특성을 잘 파악하고 이를 반영한다면 정확하고 효과적으로 영재교육대상자를 선발할 수 있을 것이다.

2단계는 관찰과 수행 중심의 포트폴리오를 근거로 여러 상황에서 관찰된 인지적 특성, 리더십, 창의성, 과제 집착력 등 다양한 준거를 활용하여 평가한다. 일회적인 평가가 아니라 꾸준한 관찰과 반복을 통한 평가 과정이다.

👓 영역별 집중 관찰 방안

영역	차시	관찰 과정	비고
수학 과학 정보	1	탐구 주제 나열하기	
	2	탐구주제 정하고 계획 세우기	
	3~5	자유탐구 수행, 탐구보고서 작성하기	
	6	면담하기	
미술	1	자신이 그린(만든) 작품 소개하기	
	2~3	제시된 주제에 대한 작품 구상하기	
	4~5	작품 그리기(만들기)	
	6	면담하기	

👓 유의 사항

- 관찰대상자를 영역별로 구분하여 관찰·추천위원이 진행함
- 차시는 학교 실정에 맞게 관찰·추천위원 협의를 통해 결정함

창의탐구력 유형

[I] 플라스틱 컵과 종이컵에 같은 양의 포도주스와 얼음을 넣고 물기를 닦고 무게를 재보니 200 g이었다. 그 두 컵을 유리판을 덮어 하루 동안 놔두었을 때, 두 컵의 변화의 차이를 예상하여 세 가지 쓰시오.

[II] 글자 하나하나가 좌우대칭인 글자 중 한 글자, 두 글자, 세 글자 짜리를 각각 두 개씩 쓰시오.

[III] 철수는 수조 안에서 검정말과 형광등으로 광합성 실험을 하려고 한다.

   ① 광합성을 하는 증거를 찾아라.(두 가지)

------

   ② 기포 수를 세는데 너무 작아서 세어지지 않았다. 이를 보완할 수 있는 방법을 쓰시오.

------

   ③ 기포가 너무 가끔씩 발생했다. 이를 보완할 수 있는 있는 방법을 쓰시오.

영재성검사 유형

[I] 한 아이는 앉아서 울고 한 아이는 서서 웃고 있는 그림을 보고, 무슨 일이 있었는지 12가지의 예를 들어 쓰시오.

[II] 만화로 거지였다가 부자가 된 장면을 보여주고, 그 사이 어떤 상황이 일어났을지 12가지 예를 들어 설명하시오.

[III] 닭과 귤의 공통점을 가능한 많이 쓰시오.

3단계 창의적 문제해결력 평가 또는 검사

🔍 시행 방법

3단계는 학습능력과 창의적 문제해결 능력을 평가하는 단계이다. 이 단계에서는 다양한 방법을 활용할 수 있다.

다음은 이미 개발되어 시범으로 시행하였던 수업 모형 예시이다. 수업은 '듣고 탐구하여 산출물을 제출하는 형식'으로 이루어진다. 개발된 수업은 고사장 전체에 똑같이 제공되며 동영상 수업으로 진행한다. 방송실에서 통제를 하면 평가자에 따른 변수를 최소화할 수 있다. 기존의 학생들이 접하지 못했던 주제, 사교육의 영향을 최대한 배제할 수 있는 주제를 수업으로 제공한다. 학생들의 수업 과정 중의 반응과 활동하는 태도, 과정을 관찰한 관찰 점수와 학생들의 활동 결과인 산출물을 평가한 점수를 합산하여 점수를 산출한다.

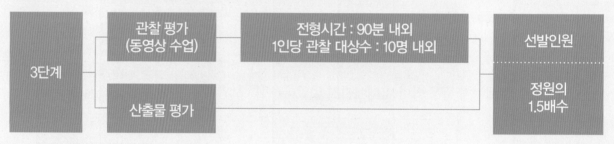

🔍 문제 출제 시 유의점

- 다양한 영역을 통합한 과제로 제시
- 수업내용을 명확하고 간단한 과제로 제시
- 선행학습 및 사교육을 배제한 과제로 제시
- 특정 학생 및 특정 성별에 유리한 문제는 배제함
- 관찰 및 산출물 평가를 병행 가능 항목으로 선정
- 적절한 난이도로 구성하여 변별력 있는 항목 평가
- 체크리스트 항목을 세분화하여 관찰위위원의 평가 간 점수편차가 없도록 함
- 모든 학생에게 같은 조건, 같은 상황이 되도록 통제

[Ⅰ] 피사의 사탑이 무너지지 않는 이유를 서술하시오.

[Ⅱ] 엘리베이터안에 1층부터 1000층까지의 버튼을 어떻게 디자인하면 좋을지 자세히 서술하시오.

[Ⅲ] 지구 온난화로 인해 모두 바다로 뒤 덥혀 있다고 가정할 때, 살아남을 수 있는 방법 세 가지를 과학적 근거를 내세워 서술하시오. (단, 기온은 현재와 비슷하고 교실 크기의 배가 있고 과학실 안의 모든 실험도구를 사용할 수 있다.)

[Ⅳ] 비행기는 새를 본 떠 만들었다. 우리 주위에는 자연물을 본 떠서 물건을 만든 것들이 많다. 전신수영복은 무엇을 본 떠 만들었는지 쓰시오.

[Ⅴ] 잠자리를 본 떠 만든 것은 무엇인지 쓰시오.

[Ⅵ] 벨크로(찍찍이)는 무엇을 본 떠 만든 것인지 쓰시오.

[Ⅶ] 자연을 본 떠 만든 물건을 2가지 쓰고, 어떤 자연물을 본 떠 만든 것인지 쓰시오.

[Ⅷ] 펭귄이 추운 남극에서 멸종되지 않고 살아갈 수 있는 이유를 3가지 쓰시오.

[Ⅸ] 펭귄이 추운 남극에서 살아갈 수 있는 이유를 생각한 다음, 이를 이용하여 창의적인 물건을 만들고 그 물건의 장점을 쓰시오.

[Ⅹ] 자동차가 노래하는 도로의 작은 홈들을 지나갈 때 도레미파솔 소리가 난다. 만약 홈과 홈 사이의 간격이 1 cm 일 때 솔 음이 나고, 4 cm일 때 미 음이 난다면 도레파 음이 날 때 홈과 홈 사이 간격을 각각 구하시오.

4단계 인성 심층 면접

👓 심층 면접의 의미

관찰·추천에 의한 영재교육대상자 선발 4단계는 인성 및 심층면접이다. 면접을 통해 인성뿐만 아니라 사교육에 의한 선행학습 요인을 배제하고, 창의성과 과제집착력 등 보다 다양한 학생의 특성을 확인하게 된다. 면접 평가는 점수화하여 영재교육대상자 선발의 당락에 영향을 줄 계획이다.

👓 면접 방법

영재교육대상자 선발을 위한 면접은 개별 심층 면접으로, 질문지 등을 활용한 지시적 면접 방식으로 진행된다. 학생은 면접 고사장에 들어가기 전 면접 준비실에서 주어진 시간 동안 문항지를 보고 답안을 미리 생각한 후 면접에 참여한다.

👓 면접 과정

면접 대기실		면접 준비실		면접 고사장
수험생은 감독위원의 지시가 있을 때까지 대기실에서 기다린다.	▶	감독위원의 지시에 따라 면접 준비실로 이동한 후 주어진 시간 동안 문항지를 보고 답안을 미리 생각한다.	▶	정해진 시간 동안 미리 생각한 답안을 면접위원에게 설명한다.

👓 면접 문항 유형

문항 유형	내용
인성	학생의 사고와 태도 및 행동 특성을 파악
학문적성	창의적 문제해결 수행과 관련있는 학문적 지식 확인
창의성	영재의 중요한 특성 중의 하나인 창의성 확인
과제집착력	창의적 수행과정과 관련된 문항으로 과제집착력 확인

[Ⅰ] 다른 아이들과 어울리지 못하는 아이의 그림 상황을 보고 이때 나라면 어떻게 할 것인지 쓰세요.

[Ⅱ] 달나라를 여행하는 우주선에 탑승하는 우주복에 있어야 할 기능을 7가지 쓰세요.

[Ⅲ] 수학이 생활에서 적용되는 예 세 가지 이상 쓰세요.

[Ⅳ] 비행기는 새를 본 떠 만들었다. 이처럼 동, 식물을 본 떠 만든 것을 말하고, 장점 두 가지를 말해보세요.

[Ⅴ] 나의 꿈이 수학 과학과 연관이 있는지 말해보세요.

[Ⅵ] 아프리카에 가난한 사람들이 많이 있다. 내가 그 사람들을 위해 어떤 일을 할 수 있는지 방법을 세 가지 말해보세요.

융합인재교육 STEAM 이란?

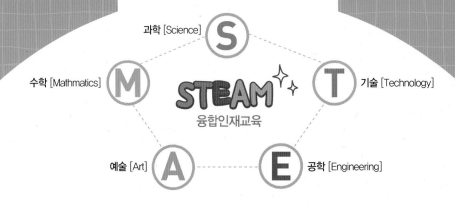

과학 [Science]

수학 [Mathmatics]

STEAM
융합인재교육

기술 [Technology]

예술 [Art]

공학 [Engineering]

· 수학, 과학, 기술, 공학 간 상호 연계성 고려, 학문 간 공통 핵심 요소 중심으로 교육
· 예술적 소양을 함양하고 타 학문에 대한 이해가 깊은 미래형 인재 양성으로 교육

[자료 출처 : 한국과학창의재단]

융합인재교육은 과학기술공학과 관련된 다양한 분야의 융합적 지식, 과정, 본성에 대한 흥미와 이해를 높여 창의적이고 종합적으로 문제를 해결할 수 있는 융합적 소양(STEAM Literacy)를 갖춘 인재를 양성하는 교육이라고 정의하고 있다. 학습자가 실제 문제 상황을 다양하게 설계하고 해결하는 과정을 통해 새로운 개념을 생성하고, 창의적으로 설계하며, 더불어 사는 인성, 즉 사회적 감성을 발달하도록 하는 것이다.
이러한 융합인재교육(STEAM)의 목적은 다음과 같이 정리할 수 있다.

❉ 빠르게 변화하는 사회 변화의 적응력을 높이는 것이다.
❉ 개인의 창의인성, 지성과 감성의 균형 있는 발달을 돕는 것이다.
❉ 타인을 배려하고 협력하며, 소통하는 능력을 함양하는 것이다.
❉ 과학 효능감과 자신감, 과학에 대한 흥미 등을 증진시킴으로써 과학 학습에 대한 동기 유발을 높이는 것이다.
❉ 융합적 지식 및 과정의 중요성을 인식시키는 것이다.
❉ 학습자 중심의 수평적 융합적 교육으로 전환하는 것이다.
❉ 합리적이고 다양성을 인정하는 문화 형성에 기여하는 것이다.
❉ 대중의 과학화를 기반으로 한 합리적인 사회를 구성하는 데 기여하는 것이다.
❉ 창조적 협력 인재를 양성하는 것이다.
❉ 수학, 과학, 기술, 공학 간 상호 연계성 고려, 학문 간 공통 핵심 요소 중심으로 교육
❉ 예술적 소양을 함양하고 타 학문에 대한 이해가 깊은 미래형 인재 양성으로 교육

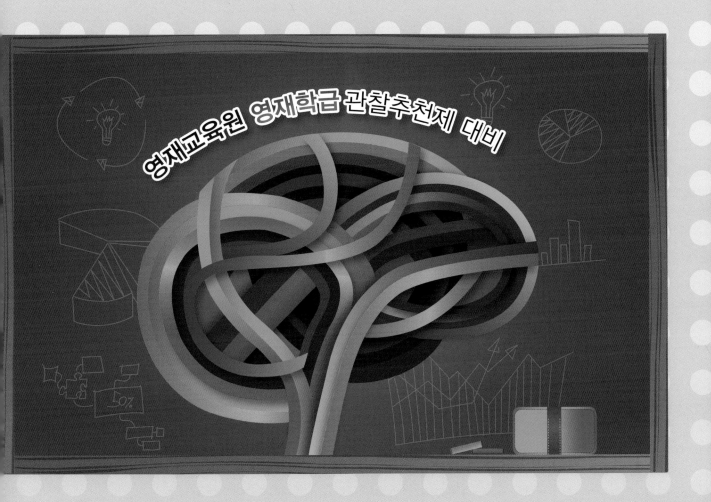

영재교육원 영재학급 관찰추천제 대비

안쌤의

「창의적 문제 해결력」 수학 과학 공통

모의고사

① 모의고사[4회]

● 최근 시행된 전국 관찰추천제 **기출 완벽 분석 및 반영**

● 서울권 창의적 문제해결력 평가 **대비**

● 영재성검사, 학문적성검사, **창의적 문제해결력 검사 대비**

② 평가 가이드 및 부록

● 영역별 점수에 따른 **학습 방향 제시와 차별화된** **평가 가이드 수록**

● 창의적 문제해결력 평가와 면접 기출유형 및 예시답안이 포함된 **관찰추천제 사용설명서 수록**

안쌤의
줄기과학 시리즈

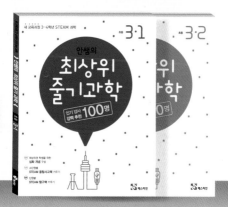

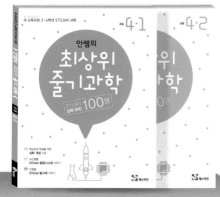

3-1 **8강** 3-2 **8강**   4-1 **8강** 4-2 **8강**

5-1 **8강** 5-2 **8강**   6-1 **8강** 6-2 **8강**

물리학 24강   화학 16강   생명과학 16강   지구과학 16강   물리학 워크북   화학 워크북

영재교육원 영재학급 관찰추천제 대비

5일 완성 프로젝트

파이널

안쌤의 창의적 문제해결력

과학 50제

정답 및 해설

초등 1~2 학년

파이널 50제 5강 구성

★ 영재성검사, 창의적 문제해결력 평가 및 검사,
창의탐구력 검사에 공통으로 출제되는 과학 사고력,
과학 창의성, 과학 STEAM(융합사고) 문제 유형으로 구성

★ 서술형 채점 기준으로 자신의 답안을 채점하면서
답안 작성 능력을 향상시킬 수 있도록 구성

부록 |

50제 시리즈로 대비할 수 있는
과학 대회 안내

초등과학 창의사고력 대회, 한국과학창의력대회, 영재교육원 선발에 대한 안내와 기출 유형 문제 수록

매스티안

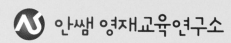
안쌤 영재교육연구소

상위 1%가 되는 길로 안내하는 이정표로,
학생들이 꿈을 이루어갈 수 있도록 콘텐츠 개발과 강의 연구를 하고 있다.

저자 **안쌤 영재교육연구소**

안재범, 최은화, 유나영, 이상호, 추진희, 오아린, 허재이, 이민숙, 이나연, 김혜진, 신혜진

검수

강동규, 김종욱, 김주석, 김진남, 배정인, 손현선, 안혜정, 전익찬, 정영숙, 정회은, 최현규

이 교재에 도움을 주신 선생님

강미라, 고려욱, 김민경, 김민정, 김성희, 김은수, 김정숙, 김정아, 김현민, 김희진, 마성재, 박선재, 박은아, 박재현, 박진국, 백광열, 서윤정, 신석화, 신한규, 어유선, 우마리아, 유경아, 유승희, 유영란, 유지유, 윤선애, 윤이현, 이석영, 이은덕, 이은범, 임선화, 임성은, 임은란, 장수진, 전진홍, 전희원, 정지윤, 정대현, 조영부, 채윤정, 채중석, 최용덕, 추지훈, 하정용

안쌤의 창의적 문제해결력
파이널 과학 50제
정답 및 해설

초등
1 · 2
학년

문항 구성 및 채점표

평가영역 문항	과학 사고력		과학 창의성		과학 STEAM	
	개념 이해력	탐구 능력	유창성	독창성 및 융통성	문제 파악 능력	문제 해결 능력
1	점					
2		점				
3	점					
4		점				
5			점	점		
6			점	점		
7			점	점		
8			점	점		
9					점	점
10					점	점

	개념 이해력	탐구 능력	유창성	독창성 및 융통성	문제 파악 능력	문제 해결 능력
평가영역별 점수						
	과학 사고력		과학 창의성		과학 STEAM	
	/40점		/30점		/30점	

총점	

평가 결과에 따른 학습 방향

사고력	35점 이상	정확하게 답안을 작성하는 연습을 하세요.
	24~34점	교과 개념과 연관된 응용문제로 문제 적용력을 기르세요.
	23점 이하	틀린 문항과 관련된 교과 개념을 다시 공부하세요.
창의성	26점 이상	보다 독창성 및 융통성 있는 아이디어를 내는 연습을 하세요.
	18~25점	다양한 관점의 아이디어를 더 내는 연습을 하세요.
	17점 이하	적절한 아이디어를 더 내는 연습을 하세요.
STEAM	26점 이상	답안을 보다 구체적으로 작성하는 연습을 하세요.
	18~25점	문제 해결 방안의 아이디어를 다양하게 내는 연습을 하세요.
	17점 이하	실생활과 관련된 과학 기사로 과학적 사고를 확장하는 연습을 하세요.

정답 및 해설

겨울에는 먹이가 부족하므로 에너지를 적게 사용하고 아끼기 위해서 겨울잠을 잔다.

요소별 채점 기준	점수
겨울에 먹이가 부족함을 서술한 경우	4점
에너지를 적게 사용하고 아끼는 것을 서술한 경우	4점

[해설]

곰, 박쥐, 고슴도치, 다람쥐 등과 같은 동물은 먹이를 계속 먹어 몸에 필요한 열을 얻어 체온을 유지한다. 하지만 겨울에는 먹이가 부족하므로 에너지를 아끼기 위해 겨울잠을 잔다. 가을 한 철 먹이를 한껏 먹어서 지방층으로 살을 찌우고, 두꺼운 낙엽이 있는 나무 밑이나 땅속 따뜻한 곳에 보금자리를 마련해 겨울잠에 들어간다.

개구리, 뱀, 도마뱀, 거북 등은 체온이 주위의 온도에 따라 변하므로 체온이 0℃ 이하로 내려갈 경우 얼어 죽을 수 있으므로 겨울잠을 잔다.

얼음에 소금을 넣으면 소금을 넣지 않을 때보다 온도가 더 많이 내려가기 때문이다.

요소별 채점 기준	점수
온도가 더 많이 내려간다고 서술한 경우	4점
얼음에 소금을 넣었을 때와 넣지 않았을때를 비교한 경우	4점

[해설]

아무것도 넣지 않은 얼음만으로는 0℃ 이하로 온도를 낮추기 어렵다. 하지만 소금을 넣으면 얼음이 녹으면서 주변의 열을 흡수하는 동시에 소금이 물에 녹으면서 열을 흡수하기 때문에 좀 더 낮은 온도가 된다. 순수한 물에 설탕이나 소금이 녹아 있으면 더 낮은 온도에서 언다. 소금이 녹아 있는 바닷물은 0℃보다 더 낮은 온도에서 얼기 때문에 겨울에 잘 얼지 않는다.

바람이 불면 우리 몸에 닿는 찬 공기의 양이 많아지고, 이에 따라 우리 몸이 빼앗기는 열의 양이 많아지기 때문이다.

[해설]

일반적으로 따뜻한 곳이나 여름철에는 바람의 속도보다는 습도나 햇볕의 영향이 크다. 한편 추운 곳이나 겨울철에는 바람의 속도에 큰 영향을 받는다. 체감온도는 보통 풍속이 1 m/s 증가할 때마다 약 1~1.5 ℃가량 낮아지므로 체감온도라는 용어는 주로 겨울에 쓴다.

유리 덮개로 덮어 놓은 사과는 밀폐되어 사과 속 수분이 거의 증발하지 않았지만, 유리 덮개를 덮지 않는 사과는 사과 속 수분이 증발했기 때문이다.

[해설]

수박은 수분 함유량이 92 % 정도이고, 사과는 수분 함유량이 86 % 정도이다. 유리 덮개로 덮어 놓으면 밀폐된 공간에 들어갈 수 있는 수증기의 양이 적어서 사과 속 수분이 잘 증발하지 않는다. 그러나 유리 덮개로 덮어 놓지 않으면, 증발한 수증기가 공기 중에 들어갈 공간이 많아지므로 사과 속 수분이 잘 증발한다.

정답 및 해설

05

- 중국의 사막에 나무를 심는다.
- 지구 온난화를 막기 위해 전 세계가 협력한다.
- 종이를 아껴 쓴다.
- 지나친 방목으로 초원의 풀이 없어지지 않도록 한다.
- 사막에 물을 공급한다.

※ 유창성 [6점]

총체적 채점 기준	점수
세 가지 방법을 서술한 경우	6점
두 가지 방법을 서술한 경우	4점
한 가지 방법을 서술한 경우	2점

※ 독창성 및 융통성 [4점]

요소별 채점 기준	점수
나무를 심는 방법을 서술한 경우	2점
지나친 방목을 줄이는 방법을 서술한 경우	2점

[해설]

나무를 베어버려서 원래 숲이었던 곳이 사막이 되고, 환경 파괴에 따른 기후변화로 가뭄이 계속되기 때문에 황사가 발생하는 사막이 늘어난다. 또한, 과도한 방목이나 경작 등으로 초원의 풀이 없어지고 땅이 황폐해져 사막이 되기 때문이다.

06

- 갑자기 많은 비가 내린다.
- 내리는 범위가 좁다.
- 빗줄기가 굵다.
- 천둥, 번개와 함께 내리기도 한다.
- 금방 그친다.

※ 유창성 [6점]

총체적 채점 기준	점수
세 가지 방법을 서술한 경우	6점
두 가지 방법을 서술한 경우	4점
한 가지 방법을 서술한 경우	21점

※ 독창성 및 융통성 [4점]

요소별 채점 기준	점수
내리는 범위를 서술한 경우	2점
내리는 시간을 서술한 경우	2점

[해설]

따뜻한 공기는 차가운 공기에 비해 가벼워 위로 올라가려는 성질이 있다. 찬 공기가 더운 공기를 밀어 올리면(상승 기류) 적란운이라는 구름이 만들어진다. 소나기는 적운 또는 적란운으로부터 내린다.

07

- 곤충의 도움을 받는다.
- 새의 도움을 받는다.
- 바람의 도움을 받는다.
- 물의 도움을 받는다.
- 사람의 도움을 받는다.

※ 유창성 [6점]

총체적 채점 기준	점수
세 가지 방법을 서술한 경우	6점
두 가지 방법을 서술한 경우	4점
한 가지 방법을 서술한 경우	2점

※ 독창성 및 융통성 [4점]

요소별 채점 기준	점수
곤충이나 새에 관해 서술한 경우	2점
물이나 바람에 관해 서술한 경우	2점

[해설]

꽃가루가 옮겨지는 방법에 따라 꽃을 충매화, 풍매화, 수매화, 조매화 등으로 구분할 수 있다.

- 충매화 : 곤충의 도움으로 꽃가루가 운반되는 꽃으로, 꿀과 향이 있고 꽃이 예쁘다. 예 장미, 국화, 민들레, 부레옥잠, 연꽃 등

- 풍매화 : 바람에 의해 꽃가루가 운반되는 꽃으로, 꽃가루가 가볍고 꽃이 예쁘지 않다. 예 벼, 보리, 옥수수, 소나무 등

- 수매화 : 물에 의해서 꽃가루가 운반되는 꽃으로, 주로 물에서 산다. 예 검정말, 나사말, 물수세미 등

- 조매화 : 새에 의해서 꽃가루가 운반되는 꽃으로, 꽃이 크고 붉은색이 많다. 예 동백, 선인장, 바나나 등

- 인공수분 : 과수원 등에서 열매를 잘 맺게 하려고 인공적으로 꽃가루받이를 시킨다.

⊕ 장미 ⊕ 국화 ⊕ 민들레 ⊕ 연꽃 ⊕ 벼

⊕ 옥수수 ⊕ 소나무 ⊕ 보리 ⊕ 검정말 ⊕ 나사말

⊕ 물수세미 ⊕ 동백 ⊕ 선인장 ⊕ 바나나 ⊕ 인공수분

08
- 페트병 바닥에 구멍을 뚫는다.
- 페트병을 비스듬히 기울여 병 안으로 공기가 들어가게 한다.
- 페트병에 빨대로 공기를 불어넣어 준다.
- 페트병을 옆으로 돌려준다.
- 페트병을 위아래로 흔든다.
- 페트병을 눌러준다.

예시답안

※ 유창성 [6점]

총체적 채점 기준	점수
세 가지 방법을 서술한 경우	6점
두 가지 방법을 서술한 경우	4점
한 가지 방법을 서술한 경우	2점

※ 독창성 및 융통성 [4점]

요소별 채점 기준	점수
빨대로 공기를 불어 넣는 것을 서술한 경우	2점
옆으로 돌려주는 것을 서술한 경우	2점

[해설]

페트병 안의 물을 밖으로 나오게 하기 위해서는 페트병 안으로 공기가 들어갈 수 있어야 한다. 뚜껑에 공기가 잘 들어가지 못하도록 작은 구멍을 뚫은 후 물이 담긴 페트병의 뚜껑을 닫고 페트병을 뒤집으면 페트병의 물이 나오지 않는다. 공기가 들어갈 수 없는 경우는 페트병을 눌러 힘을 가해야 한다. 공기 압축으로 발사하는 물총은 빠져나올 물의 양만큼의 공기를 미리 펌프로 넣어 주면 이때 생긴 강한 공기의 압력으로 인해 물이 나온다.

예시답안

09
❶ 지구 온난화에 의해 2월과 3월의 기온이 오르고 있기 때문이다.

요소별 채점 기준	점수
지구 온난화를 서술한 경우	3점
2월과 3월의 기온이 높아짐을 서술한 경우	3점

❷

- 친환경제품을 사용한다.
- 대중교통을 이용한다.
- 나무를 심고 가꾼다.
- 물을 아껴 쓴다.
- 쓰레기를 줄이고 분리 배출하고 재활용한다.
- 실내 적정 온도를 유지한다.(여름 26~28 ℃, 겨울 20 ℃ 이하)
- 전기기구를 올바르게 사용한다.(사용하지 않는 전기기구 플러그 뽑아두기, 사용하지 않는 전등 끄기 등)

총체적 채점 기준	점수
세 가지 방법을 서술한 경우	8점
두 가지 방법을 서술한 경우	5점
한 가지 방법을 서술한 경우	1점

[해설]

❶ 우리나라는 봄과 가을이 짧아지고 봄철 식물들의 개화 시기가 빨라졌다. 벚꽃의 경우 예전에는 벚꽃축제가 남쪽부터 시작해 북쪽으로 올라오며 시간 간격을 두고 열렸다. 하지만 최근 들어서는 벚꽃의 개화 시기에 지역별 차이가 없어져 전국에서 동시에 꽃을 피우고 있다. 이런 현상은 농림업에서도 그대로 나타나고 있다. 밀감, 한라봉, 파파야, 구아바, 애플 망고 등 열대과일이 내륙에서도 재배되고 있다.

❷ 기상청 기후변화감시센터의 국내 기후변화 분석 결과에 따르면 앞으로 지구 온난화 현상에 대한 대응책을 마련하지 못하면 2071~2100년 사이 남한 지역의 기온이 지금보다 4 ℃가량 상승해 아열대 기후로 변할 수도 있다. 현재 우리나라는 지구 온난화로 인해 찬 바닷물에서 사는 명태가 사라지고 따뜻한 바다에서 사는 고등어가 많이 잡히며, 초대형 가오리가 나타나고 있다. 또한, 남부지방의 대나무와 백일홍은 이제 중부지방에서 흔히 볼 수 있는 나무가 되었다.

예시답안

10

❶ 페트병에 있는 물을 마실 때 입을 대고 마시는 순간 입에 있던 세균이 병 안으로 들어가고 일정 시간이 지나면 세균의 수가 급격히 늘어나기 때문이다.

요소별 채점 기준	점수
입 속의 세균을 서술한 경우	3점
세균이 물에서 번식함을 서술한 경우	3점

❷
① 뚜껑을 열지 않은 생수병 3개를 준비한다.
② 동시에 뚜껑을 열고 한 모금씩 입을 대고 마신다.
③ 뚜껑을 닫고 하나는 냉장고에, 다른 하나는 실온에, 다른 하나는 35 ℃에 하루 동안 놓아둔다.
④ 하루가 지난 후 각 생수병의 물을 핸드 플레이트에 살짝 바른다.
⑤ 핸드 플레이트를 따뜻한 곳에 하루 동안 놓아둔 후 변화를 관찰한다.

요소별 채점 기준	점수
모든 생수를 입을 대고 마신 경우	2점
생수를 다른 온도에서 일정 시간 보관한 경우	4점
핸드 플레이트를 올바르게 사용한 경우	2점

[해설]

❶ 입속에는 미생물인 세균이 살고 있다. 한 번 입을 댄 물은 침에 있는 여러 가지 영양 물질과 혼합되어 세균이 아주 빠른 속도로 번식한다. 만약 세균이 많은 물을 마셨을 때 세균이 입속 상처 등을 통해 혈관을 타고 심장으로 들어가면 심장병을 일으킬 수도 있다. 따라서 페트병에 담긴 생수는 컵에 따라 마셔야 하고, 일단 입을 댔다면 하루 이상 지난 물은 버리는 것이 좋다. 페트병을 재사용한다고 해서 유해물질이 녹아 나오는 것은 아니지만, 한 번 사용한 페트병은 내부 세척이 어려워 오염 가능성이 있으므로 다시 물을 담아 사용하지 않는 것이 좋다.

❷ 마시는 물의 안전한 세균수치는 1 mL 당 100마리 이내여야 한다. 하지만 페트병에 입을 대고 마신지 6시간 후 실온에서는 1 mL 당 1900마리, 냉장 보관에서는 1 mL 당 1200마리, 30 ℃ 온도에서는 1 mL 당 5900마리가 발견되었다. 실험 결과 6시간 이후에는 실온은 물론 냉장 보관 역시 기준치의 10배 이상의 세균이 증가하였다. 그러나 컵에 따라 마신 경우는 30 ℃에서 48시간 동안 보관하여도 세균이 발견되지 않았다.

문항 구성 및 채점표

평가영역 문항	과학 사고력		과학 창의성		과학 STEAM	
	개념 이해력	탐구 능력	유창성	독창성 및 융통성	문제 파악 능력	문제 해결 능력
11	점					
12		점				
13	점					
14	점					
15			점	점		
16			점	점		
17			점	점		
18			점	점		
19					점	점
20					점	점

평가영역별 점수	개념 이해력	탐구 능력	유창성	독창성 및 융통성	문제 파악 능력	문제 해결 능력
	과학 사고력		과학 창의성		과학 STEAM	
	/ 40점		/ 30점		/ 30점	

총점	

평가 결과에 따른 학습 방향

사고력	35점 이상	정확하게 답안을 작성하는 연습을 하세요.
	24~34점	교과 개념과 연관된 응용문제로 문제 적응력을 기르세요.
	23점 이하	틀린 문항과 관련된 교과 개념을 다시 공부하세요.
창의성	26점 이상	보다 독창성 및 융통성 있는 아이디어를 내는 연습을 하세요.
	18~25점	다양한 관점의 아이디어를 더 내는 연습을 하세요.
	17점 이하	적절한 아이디어를 더 내는 연습을 하세요.
STEAM	26점 이상	답안을 보다 구체적으로 작성하는 연습을 하세요.
	18~25점	문제 해결 방안의 아이디어를 다양하게 내는 연습을 하세요.
	17점 이하	실생활과 관련된 과학 기사로 과학적 사고를 확장하는 연습을 하세요.

모범답안

11 화산이 폭발한 뒤 용암이 흘러나와 생긴 곳에 물이 고여서 만들어진다.

요소별 채점 기준	점수
화산 활동으로 생긴 것을 서술한 경우	4점
물이 고여 만들어졌음을 서술한 경우	4점

[해설]

화산이 폭발한 뒤 용암이 흘러나와 분화구 가장자리에 쌓이면서 높은 담처럼 굳어져 움푹 파인 형태로 된 곳에 물이 고여 형성된 호수를 화구호라 한다. 우리나라는 한라산의 백록담이 대표적인 화구호이다. 화산 폭발 후 산 정상이 함몰되고 붕괴하여 더 큰 형태의 구멍이 만들어지고, 여기에 물이 고이면 칼데라호가 된다. 백두산 천지가 대표적인 칼데라호이다. 칼데라호는 땅이 함몰되면서 생기는 것이고 화구호는 가장자리가 높아지면서 생기는 것이다. 따라서 칼데라호는 화구호보다 훨씬 크다.

○ 백두산 천지-칼데라호

○ 백두산 천지-칼데라호

모범답안

12

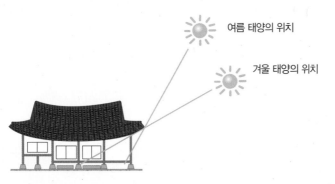

여름 태양의 위치

겨울 태양의 위치

처마는 여름에는 방 안으로 들어오는 햇빛을 막아 주어 시원하게 해주고, 겨울에는 집안 깊숙이 햇빛이 들어오게 하여 따뜻하게 해준다.

요소별 채점 기준	점수
여름과 겨울의 태양 위치와 햇빛의 경로를 그림에 나타낸 경우	2점
여름에 햇빛을 조절하는 방법을 서술한 경우	3점
겨울에 햇빛을 조절하는 방법을 서술한 경우	3점

[해설]

처마는 지붕이 건물 밖으로 나온 부분이다. 하늘을 향해 살짝 솟아오른 처마 양쪽 끝에는 전통 가옥 건축의 멋과 선조들의 지혜가 깃들어 있다. 하늘로 살짝 솟아오른 처마는 여름철에는 정면으로 내리쬐는 햇볕을 막아주고, 겨울철에는 햇빛이 낮아 집안 깊숙이 들어오게 하여 집안을 따뜻하게 하고, 비가 올 때 바깥벽을 보호한다.

13

식물은 뿌리를 통해 물과 물에 녹아 있는 양분을 흡수하고, 잎으로 햇빛을 받아 <u>스스로 영양분을 만든다.</u>

모범답안

요소별 채점 기준	점수
뿌리에서 물과 양분을 흡수함을 서술한 경우	4점
잎에서 영양분을 만드는 것을 서술한 경우	4점

[해설]

식물의 구조와 하는 일은 다음과 같다.

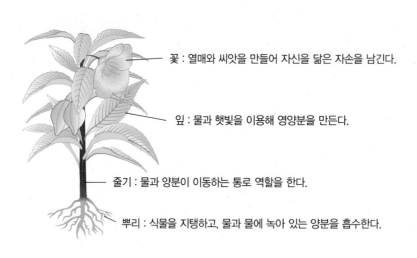

꽃 : 열매와 씨앗을 만들어 자신을 닮은 자손을 남긴다.

잎 : 물과 햇빛을 이용해 영양분을 만든다.

줄기 : 물과 양분이 이동하는 통로 역할을 한다.

뿌리 : 식물을 지탱하고, 물과 물에 녹아 있는 양분을 흡수한다.

정답 및 해설

14

- 햇빛의 위치와 관계없이 햇빛을 골고루 받기 위해서이다.
- 옹기를 서로 붙여 놓아도 위아래 부분이 떨어져 바람이 잘 통하기 때문이다.

요소별 채점 기준	점수
햇빛을 골고루 받기 위해서임을 서술한 경우	4점
붙여 놓아도 바람이 잘 통하게 하기 위해서임을 서술한 경우	4점

[해설]

하루에 해가 비치는 각도가 각각 달라서 허리가 볼록하지 않으면 햇볕을 골고루 받을 수 없다. 허리가 볼록하므로 태양의 각도와 관계 없이 골고루 햇볕을 받아 옹기 안의 온도가 적절하게 유지 된다. 또한, 옹기를 여러 개 붙여 놓더라도 위아래 부분에 공간이 많이 생겨 바람이 잘 통한다. 옹기의 허리 부분을 볼록하게 하면 용기의 무게 중심이 낮아서 안정하므로 잘 넘어지지 않는다.

15

- 밥을 짓는 것과 방을 따뜻하게 하는 것을 동시에 할 수 있다.
- 바닥에서 나오는 열로 방을 따뜻하게 한다.
- 구들(돌)은 천천히 가열되지만 따뜻함이 오래 지속된다.

※ 유창성 [6점]

총체적 채점 기준	점수
세 가지 방법을 서술한 경우	6점
두 가지 방법을 서술한 경우	4점
한 가지 방법을 서술한 경우	2점

※ 독창성 및 융통성 [4점]

요소별 채점 기준	점수
밥짓기와 난방을 동시에 할 수 있음을 서술한 경우	2점
따뜻함이 오래 지속됨을 서술한 경우	2점

[해설]

우리나라 전통적인 난방 형태인 온돌은 아궁이에 불을 지피고 그 열에 의해 달궈진 구들(돌)에서 나오는 열로 방바닥을 따뜻하게 한다(전도). 구들장은 아랫목에서 윗목으로 갈수록 얇아진다. 이는 아랫목의 경우 불을 지피는 아궁이와 가까워서 매우 뜨거워질 수 있으므로 두꺼운 돌을 사용하고 진흙도 두껍게 발라 천천히 가열되도록 하고, 반대로 윗목의 구들장은 얇은 돌을 사용해 빨리 가열되도록 하기 위해서이다.

16

- 바닥에 두꺼운 매트를 깐다.
- 실내용 슬리퍼를 신는다.
- 가구에 소음 방지용 패드를 붙인다.
- 피아노가 있는 방에 방음장치를 설치한다.
- 늦은 저녁과 이른 아침에 청소기, 세탁기, 망치질 소리가 나지 않도록 한다.
- 늦은 밤에는 목욕이나 설거지를 하지 않도록 한다.
- TV 시청이나 음악 감상은 적당한 소리 크기로 한다.
- 문을 쾅쾅 닫지 않는다.

※ 유창성 [6점]

총체적 채점 기준	점수
다섯 가지 방법을 서술한 경우	6점
네 가지 방법을 서술한 경우	5점
세 가지 방법을 서술한 경우	4점
두 가지 방법을 서술한 경우	2점
한 가지 방법을 서술한 경우	1점

※ 독창성 및 융통성 [4점]

요소별 채점 기준	점수
실내용 슬리퍼를 신는 방법을 서술한 경우	2점
가구에 소음 방지 패드를 붙이는 방법을 서술한 경우	2점

[해설]

우리나라 대부분 공동주택(아파트, 빌라 등)은 바닥과 벽이 하나의 통으로 된 구조이므로 직접적인 충격으로 인한 소음이 쉽게 전달되고, 바닥에 전달되는 충격이 벽 전체를 타고 내려가며 소음이 퍼진다. 층간 소음을 줄이기 위해 가정에서 손쉽게 할 수 있는 일은 놀이 매트를 활용하는 것이다. 매트를 깐다고 해서 완벽히 방음 효과를 낼 수 있는 것은 아니지만, 가벼운 소음은 매트를 까는 것만으로도 50% 이상 줄어드는 것으로 알려졌다.

17

- 남자다.
- 조선 시대 사람이다.
- 화폐 모델이다.
- 지도자이다.
- 동상이 있다.
- 발명품이 있다.
- 광화문 광장에 있다.
- 우표로 발행되었다.
- 우리나라 과학 발전에 이바지하였다.

※ 유창성 [6점]

총체적 채점 기준	점수
다섯 가지 방법을 서술한 경우	6점
네 가지 방법을 서술한 경우	5점
세 가지 방법을 서술한 경우	4점
두 가지 방법을 서술한 경우	2점
한 가지 방법을 서술한 경우	1점

※ 독창성 및 융통성 [6점]

요소별 채점 기준	점수
화폐 모델을 서술한 경우	2점
발명품을 서술한 경우	2점

정답 및 해설

[해설]

세종대왕은 조선조 제4대 임금으로, 인재를 고르게 등용하여 이상적 유교 정치를 구현하였다. 훈민정음을 창제하고 측우기 등의 과학 기구를 제작하여 백성들의 생활에 실질적으로 도움이 되는 문화 정책을 추진했다. 이순신은 조선 시대의 장수로 임진왜란에서 삼도수군통제사로 수군을 이끌고 전투마다 승리를 거두어 왜군을 물리치는 데 큰 공을 세웠다.

예시답안

18

- **안전하게 만드는 방법**
  - 미끄럼대에서 손을 잡고 내려오는 부분의 높이를 높여 준다.
  - 올라가는 계단에 미끄러움을 줄일 수 있는 판을 붙인다.
  - 통 모양 미끄럼틀의 입구 위에 머리를 부딪치지 않도록 푹신한 것을 붙인다.
  - 미끄럼대 밑 부분에 푹신한 시설을 만들어 엉덩이에 가해지는 충격을 줄여준다.
  - 햇빛으로 금속 미끄럼틀이 뜨거워질 수 있으니 위에 그늘막을 만든다.
  - 미끄럼틀 경사가 크면 위험하니 미끄럼틀 경사를 너무 크게 하지 않는다.

- **재미있게 만드는 방법**
  - 올라가는 계단을 밟으면 소리가 나게 만든다.
  - 통 모양 미끄럼틀 안에 연속적인 그림을 붙여서 내려올 때 그림이 움직이는 것처럼 보이게 한다.
  - 통 모양 미끄럼틀 안에 노래하는 도로처럼 작은 홈들을 만들어 내려올 때 짧은 노래가 나오도록 한다.
  - 코끼리 모양의 미끄럼틀을 만들어 코끼리의 코를 타고 내려오게 만든다.

※ 유창성 [6점]

총체적 채점 기준	점수
항목 모두 두 가지씩 서술한 경우	6점
두 가지, 한 가지씩 서술한 경우	4점
두 항목 모두 한 가지씩만 서술한 경우	2점

※ 독창성 및 융통성 [4점]

요소별 채점 기준	점수
미끄럼틀의 충격 방지 시설을 설치하는 방법을 서술한 경우	2점
미끄럼틀을 변형하여 볼거리를 만드는 방법을 서술한 경우	2점

[해설]

여름에 반바지를 입고 미끄럼틀을 탈 경우 햇빛과 마찰력 때문에 살이 뜨거워지거나 화상을 입을 수 있다. 또, 미끄럼틀에서 내려올 때 속도가 빨라져서 땅바닥에 떨어져 엉덩이를 다치거나 내려오다가 옆으로 빠질 수도 있어 위험하다.

19

1
- 공기(산소)가 없는 곳
- 온도가 낮고 변화가 없는 곳
- 산성이 약한 곳

요소별 채점 기준	점수
공기에 관해 서술한 경우	2점
온도에 관해 서술한 경우	2점
산성에 관해 서술한 경우	2점

2
- 방법 : 땅을 70 cm 파고 김치가 든 독(옹기)을 묻어 놓는다.
- 원리 : 70 cm 땅속의 온도는 겨울철이나 여름철에도 0~1 ℃로 일정하게 유지되고 공기와의 접촉을 최소화할 수 있으므로 김치의 발효를 적절히 억제해 쉽게 시어짐을 방지할 수 있다.

요소별 채점 기준	점수
방법을 서술한 경우	3점
땅 속의 온도가 일정하게 유지됨을 서술한 경우	3점
공기와 접촉을 막을 수 있음을 서술한 경우	2점

[해설]

1 채소에 묻어 있던 미생물 중 유산균이 활동하면 김치가 발효되었다고 하고, 세균이 활동하면 부패하였다고 한다. 유산균이 채소나 양념에 든 양분을 이용하여 번식하면서 유기산을 만들면 김치의 특유한 맛과 향을 낸다. 아주 잘 익은 김치에는 유익한 유산균이 99 %이고 다른 세균이나 곰팡이가 1 % 정도 들어 있다. 시간이 지나 김치가 시어지면 유산균이 점점 죽어서 줄어들고, 그동안 활동하지 못하고 있던 곰팡이 무리(효모)가 활발하게 활동하면서 김치에서 군내가 나고 아주 시어진 묵은김치가 된다. 묵은김치에서는 유산균이 다 죽는다. 김치는 pH 5 정도 되는 약산이고, 약산성은 유산균이 생존하기에 최적의 조건이다. 김치가 시어지면 산성이 강해져 유산균이 죽는다.

2 김치 맛이 변하는 결정적인 이유는 온도 변화와 공기에 자주 노출되기 때문이다. 이를 방비하기 위해 우리 조상들은 김장독을 꽁꽁 싸매서 땅속 깊이 묻었다. 추운 겨울에는 땅속이 바깥보다 따뜻해서 김치를 얼지 않게 보관할 수 있다. 또한, 김치를 보관하는 옹기에는 잘 보이지는 않지만 미세한 구멍이 아주 많다. 그 구멍 사이로 물방울처럼 큰 알갱이들은 빠져나가지 못하지만 작은 공기는 드나들 수 있다. 공기가 드나들면서 항아리 속의 김치를 신선하게 유지해 준다.

20

1
- 얼음을 매끄럽게 만들어 마찰력을 줄여 주면 스톤이 앞으로 더 많이 나아가게 할 수 있기 때문이다.
- 특정 방향으로만 닦으면 스톤이 나아가는 방향을 조절할 수 있기 때문이다.

요소별 채점 기준	점수
스톤이 더 멀리 나아가게 한다고 서술한 경우	3점
스톤이 나아가는 방향을 조절한다고 서술한 경우	3점

❷

• 디자인 :

○ 왼쪽은 매끄럽고 오른쪽은 매끄럽지 않은 신발

• 원리 : 신발 한쪽은 매끄럽게 만들어 잘 미끄러지도록 하고, 다른 한쪽은 울퉁불퉁하게 만들어 미끄러지지 않고 설 수 있도록 만든다.

• 디자인 :

○ 매끄러운 덧신을 씌움

• 원리 : 신발 한쪽에 덧신을 씌워 한쪽만 잘 미끄러지도록 한다.

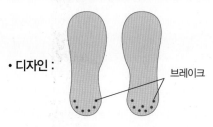

브레이크

• 디자인 :

• 원리 : 신발 앞쪽은 잘 미끄러지도록 매끄럽게 만들고 신발 뒷부분에 브레이크를 만들어 설 수 있도록 한다.

요소별 채점 기준	점수
신발을 디자인 한 경우	4점
원리를 바르게 서술한 경우	4점

[해설]

❶ 얼음을 닦아 줄 경우 닦지 않을 때보다 스톤을 약 3~5 m 정도 더 나아가게 할 수 있다. 얼음 쓸기는 스톤이 나아가는 길의 먼지와 불순물 등을 제거하고 얼음 표면을 잠시 녹여서 스톤이 진행할 때의 마찰을 줄여준다. 따라서 좌우의 브룸 빗질 횟수를 달리하면 스톤의 방향을 바꿀 수 있다.

❷ 컬링 선수들은 스케이트도 신지 않았는데 얼음 위를 부드럽게 미끄러진다. 컬링 선수의 신발은 운동화처럼 생겼지만, 얼음 위에서 빠른 움직임을 돕기 위해 양쪽 신발의 기능이 다르다. 한쪽은 잘 미끄러지도록 매끄럽고 다른 한쪽은 잘 미끄러지지 않도록 돌기가 있다.

컬링

문항 구성 및 채점표

평가영역 문항	과학 사고력		과학 창의성		과학 STEAM	
	개념 이해력	탐구 능력	유창성	독창성 및 융통성	문제 파악 능력	문제 해결 능력
21		점				
22		점				
23	점					
24	점					
25			점	점		
26			점	점		
27			점	점		
28			점	점		
29					점	점
30					점	점

평가영역별 점수	개념 이해력	탐구 능력	유창성	독창성 및 융통성	문제 파악 능력	문제 해결 능력
	과학 사고력		과학 창의성		과학 STEAM	
	/ 40점		/ 30점		/ 30점	

총점	

평가 결과에 따른 학습 방향

사고력	35점 이상	정확하게 답안을 작성하는 연습을 하세요.
	24~34점	교과 개념과 연관된 응용문제로 문제 적응력을 기르세요.
	23점 이하	틀린 문항과 관련된 교과 개념을 다시 공부하세요.

창의성	26점 이상	보다 독창성 및 융통성 있는 아이디어를 내는 연습을 하세요.
	18~25점	다양한 관점의 아이디어를 더 내는 연습을 하세요.
	17점 이하	적절한 아이디어를 더 내는 연습을 하세요.

STEAM	26점 이상	답안을 보다 구체적으로 작성하는 연습을 하세요.
	18~25점	문제 해결 방안의 아이디어를 다양하게 내는 연습을 하세요.
	17점 이하	실생활과 관련된 과학 기사로 과학적 사고를 확장하는 연습을 하세요.

정답 및 해설

21

화석 연료를 사용할 때 나오는 이산화 탄소가 우주로 나가는 에너지를 잡아 두는 역할을 하기 때문이다.

요소별 채점 기준	점수
이산화 탄소의 발생을 서술한 경우	4점
이산화 탄소가 에너지를 잡아둠을 서술한 경우	4점

[해설]

지구 표면에서 나오는 복사 에너지가 대기를 빠져나가기 전에 흡수되어 대기의 기온이 올라가는 현상을 '온실 효과'라고 한다. 온실 효과를 일으키는 온실 기체에는 이산화 탄소, 수증기, 메테인, 프레온 가스, 오존 등이 있는데, 이 중 가장 큰 영향을 미치는 것은 이산화 탄소이다. 석탄, 석유와 같은 화석 연료 사용이 증가함에 따라 이산화 탄소의 배출량이 급격히 많아졌고, 지구의 평균 기온이 높아지는 지구 온난화가 심각해지고 있다. 지구 온난화로 인한 기상 변화로 생태계가 변화하고 있고 빙하가 녹으면서 해수면이 높아지는 등 심각한 문제가 발생하고 있다.

22

태양열로 지표면이 데워지고, 가열된 지표면에서 열을 내보내어 공기가 데워지기 때문이다.

요소별 채점 기준	점수
정오에 태양열로 지표면이 데워짐을 서술한 경우	4점
지표면에서 열을 내보냄을 서술한 경우	4점

[해설]

아침과 저녁에는 태양이 지표면을 비스듬히 비추어 햇빛이 넓게 퍼진다. 햇빛의 양은 일정한데 넓은 면적으로 퍼지면, 열의 양이 적어져서 온도가 조금밖에 오르지 못한다. 정오에는 태양이 머리 위에 있어 좁은 면적을 비추므로 받는 열이 더 많아지고 온도가 많이 오른다. 그래서 아침이나 저녁보다 대낮에 더 온도가 높다. 그러나 지표면이 가열되고 가열된 지표면에 의해 공기가 데워지는 데 시간이 걸리기 때문에 하루 중 가장 기온이 높을 때가 오후 2시 무렵이다.

음식이 소화될 때 도움을 받는 소화액이 뱃속 온도가 낮아지면 역할을 제대로 할 수 없기 때문이다.

[해설]

음식이 소화될 때 소화액의 도움을 받는데, 소화액은 체온(몸 온도)과 비슷할 때 활발히 작용한다. 잘 때 답답하다고 이불을 걷어차 배를 내놓게 되면, 뱃속 온도가 낮아져서 소화액이 역할을 제대로 할 수 없다. 아이스크림과 같은 찬 음식을 먹었을 때 배가 아픈 것도 같은 이유이다.

 체온이 올라가면 땀이 나고, 땀이 증발하면서 피부의 열을 빼앗아 체온을 낮춰주기 때문이다.

[해설]

더운 여름이나 열심히 운동했을 때 땀이 나지 않으면 체온이 올라가서 몸에 이상이 생긴다. 땀이 증발하면서 피부의 열도 함께 빼앗아 가므로 체온이 조절된다. 습도가 높은 여름에는 더 덥게 느껴지는데, 그 이유는 공기에 수분이 많아 땀이 증발하기 어렵기 때문이다.

정답 및 해설

25

- 씨가 하나인 것과 그렇지 않은 것으로 나눌 수 있다.
- 단맛이 나는 것과 그렇지 않은 것으로 나눌 수 있다.
- 나무에서 열리는 것과 밭에서 열리는 것으로 나눌 수 있다.
- 껍질을 먹는 것과 먹지 않는 것으로 나눌 수 있다.
- 반찬으로 먹는 것과 먹지 않는 것으로 나눌 수 있다.

※ 유창성 [6점]

총체적 채점 기준	점수
다섯 가지 방법을 서술한 경우	6점
네 가지 방법을 서술한 경우	5점
세 가지 방법을 서술한 경우	4점
두 가지 방법을 서술한 경우	2점
한 가지 방법을 서술한 경우	1점

※ 독창성 및 융통성 [4점]

요소별 채점 기준	점수
단맛이 나는 것과 나지 않는 것으로 나눈 경우	2점
나무에서 열리는 것과 밭에서 열리는 것으로 나눈 경우	2점

[해설]

과일은 여러해살이 식물인 나무에서 열리는 열매이고, 채소는 한해살이 식물로 밭에서 수확하는 열매이다. 포도, 복숭아는 과일이고 수박, 감자, 토마토, 참외는 채소이다.

26

- 숲이 파괴되어 서식지가 사라지고 있기 때문이다.
- 밤의 도시 불빛을 쫓아가다 죽기 때문이다.
- 지구 온난화로 환경이 변했기 때문이다.

※ 유창성 [6점]

총체적 채점 기준	점수
세 가지 방법을 서술한 경우	6점
두 가지 방법을 서술한 경우	4점
한 가지 방법을 서술한 경우	2점

※ 독창성 및 융통성 [4점]

요소별 채점 기준	점수
서식지가 사라진다는 것을 서술한 경우	2점
도시 불빛을 서술한 경우	2점

[해설]

천연기념물인 장수하늘소가 사라져 가고 있는 것은 무분별하게 숲이 파괴되고 개발되어 서식지가 사라지기 때문이다. 또, 밤에 서식지 주변에 켜 놓은 불빛이 곤충들을 유인하여 숲으로 돌아가지 못하게 하는 경우가 많기 때문이다.

27

- 곰취는 가장자리가 뾰족한 톱니 모양이고, 동의나물은 가장자리가 둥근 톱니 모양이다.
- 동의나물이 곰취보다 뒷면에 주름살이 더 많다.
- 동의나물은 곰취와 다르게 잎에 광택(반짝거림)이 있다.

※ 유창성 [6점]

총체적 채점 기준	점수
세 가지 방법을 서술한 경우	6점
두 가지 방법을 서술한 경우	4점
한 가지 방법을 서술한 경우	2점

※ 독창성 및 융통성 [4점]

요소별 채점 기준	점수
가장자리가 뾰족한 정도로 구분한 경우	2점
주름살로 구분한 경우	2점

[해설]

곰취는 뿌리는 약용으로 쓰고 잎은 식용으로 쓰는 대표적인 산나물이다. 잎은 전체적으로 둥글고 아랫부분이 갈라지는 형태를 가지며, 가장자리에 뾰족한 톱니가 있다. 동의나물은 곰취보다 잎이 두껍고 가장자리 톱니는 둥글다. 뿌리를 약용으로 이용하기도 하나 독성이 강해 먹지 말아야 한다.

28

- 우유 팩을 분리 배출한다.
- 미술 시간에 쓰다 남은 종잇조각들을 잘 모아두었다가 다시 사용한다.
- 메모지는 이면지를 잘라 사용한다.
- 종이가방을 다시 사용한다.
- 이면지를 재활용한다.
- 걸레와 손수건을 사용하여 화장지를 아낀다.
- 재생지로 만든 제품을 사용한다.
- 사용하지 못하는 종이는 잘 분리해서 버린다.
- 종이컵 사용을 줄인다.
- 공책은 남는 공간이 적게 쓴다.

※ 유창성 [6점]

총체적 채점 기준	점수
다섯 가지 방법을 서술한 경우	6점
네 가지 방법을 서술한 경우	5점
세 가지 방법을 서술한 경우	4점
두 가지 방법을 서술한 경우	2점
한 가지 방법을 서술한 경우	1점

※ 독창성 및 융통성 [4점]

요소별 채점 기준	점수
재생지로 만든 제품을 사용한다고 서술한 경우	2점
종이의 재활용과 관련된 방법을 서술한 경우	2점

[해설]

우리나라에서 종이컵을 쓰기 위해 5384만 그루의 나무가 벌목되고 정화를 위해 1만 2656 L의 물이 사용된다. 여기에서 9만 7369톤의 쓰레기가 생긴다. 종이컵 한 개를 통해 배출되는 이산화 탄소는 11 g가량으로 알려져 있으며, 우리나라는 한 해 14만 8500톤에 달하는 이산화 탄소가 종이컵을 통해 배출된다.

29

❶ 차가운 막대 아이스크림에 의해 입술이나 혀에 있는 침이나 물기가 순간적으로 얼어 달라붙기 때문이다.

❷
- 체온으로 얼은 부위가 녹을 때까지 기다린다.
- 얼어 있는 부위 주위에 물을 부어 녹인 후 떼어낸다.
- 입으로 따뜻한 바람을 불어 녹여서 떼어낸다.

예시답안

요소별 채점 기준	점수
입술이나 혀의 물기를 서술한 경우	3점
물기가 순간적으로 언다는 것을 서술한 경우	3점

총체적 채점 기준	점수
두 가지 방법을 서술한 경우	8점
한 가지 방법을 서술한 경우	4점

[해설]

❶ 차가운 얼음을 냉동실에서 꺼내 손으로 잡거나 겨울철에 차가운 금속을 맨손으로 만지는 경우, 손에 있는 땀이 순간적으로 얼어붙어 손이 얼음이나 금속에 달라붙기도 한다.

❷ 아주 건조한 손이나 입술을 얼음에 갖다 댈 경우 또는 많은 양의 물이 묻어 있는 경우는 물이 순간적으로 얼지 못하므로 얼음이 달라붙지 않는다. 따라서 입술에 물을 많이 묻힌 후 얼음을 먹으면 얼음이 입술에 붙지 않는다. 만약 입술이 얼음에 붙을 경우 약간의 시간이 지나 체온으로 녹으면 자연스럽게 떨어지므로 억지로 떼어내지 않는 것이 좋다.

30

❶ 물속에 사는 작은 플랑크톤이나 미생물이 작은 플라스틱 조각을 먹고 오염된다. 오염된 먹이를 작은 물고기가 먹고, 큰 물고기가 다시 오염된 작은 물고기를 먹고, 사람이 큰 물고기를 먹게 되면 결국 사람도 플라스틱 쓰레기에 의한 피해를 받는다.

❷
- 쓰레기를 분리 배출한다.
- 일회용품 사용을 줄인다.
- 분해되는 플라스틱을 개발한다.
- 쓰레기를 바다에 버리지 않는다.
- 플라스틱을 먹는 미생물을 개발하여 플라스틱을 분해한다.

요소별 채점 기준	점수
물고기들의 먹이 관계를 서술한 경우	3점
사람이 물고기를 먹음으로써 피해를 받음을 서술한 경우	3점

총체적 채점 기준	점수
세 가지를 서술한 경우	8점
두 가지를 서술한 경우	5점
한 가지를 서술한 경우	2점

[해설]

❶ 플라스틱은 태양의 자외선을 받으면 서서히 부스러져 작은 조각이 된다. 새들이 플라스틱 조각을 먹이로 착각하여 먹으면, 플라스틱은 소화되지 않아 계속 포만감을 느끼게 하므로 결국 새들은 굶어 죽는다. 플라스틱 섬 주변에서 실제로 죽은 새들의 위 속에는 먹이 대신 플라스틱만 들어 있었고, 플라스틱 섬 주변에서 잡힌 물고기들의 뱃속에도 35 %의 플라스틱이 발견되었다.

바다에 버려진 쓰레기는 바닷물을 따라 함께 흘러다니다가 바닷물이 흐르지 않고 모이는 곳에 모여 섬을 이룬다. 바닷물은 모이면 아래로 가라앉아 다른 곳으로 흘러가지만 가벼운 플라스틱 쓰레기는 바다 위에 뜬 채 머물기 때문에 모이고 모여서 큰 규모의 쓰레기 섬이 된다.

❷ 플라스틱 섬의 쓰레기는 수거하는 작업이 어려울 뿐만 아니라 엄청난 돈이 필요하므로 쓰레기를 치울 엄두가 나질 않는다. 예를 들어 북태평양의 1 %의 쓰레기를 처리하는데 1500억~6000억 원 정도가 소요된다. 단 1 %를 처리하는 데에도 천문학적 비용이 필요하므로 해답은 그저 버리지 않은 예방책뿐이다. 몰디브는 관광객들이 버리는 매일 평균 350~400 톤의 쓰레기를 치우기 위해 2015년 11월부터 관광객들에게 6달러의 환경세를 부과한다.

문항 구성 및 채점표

평가영역 문항	과학 사고력		과학 창의성		과학 STEAM	
	개념 이해력	탐구 능력	유창성	독창성 및 융통성	문제 파악 능력	문제 해결 능력
31	점					
32	점					
33	점					
34		점				
35			점	점		
36			점	점		
37			점	점		
38			점	점		
39					점	점
40					점	점

평가영역별 점수	개념 이해력	탐구 능력	유창성	독창성 및 융통성	문제 파악 능력	문제 해결 능력
	과학 사고력		과학 창의성		과학 STEAM	
	/ 40점		/ 30점		/ 30점	

총점	

평가 결과에 따른 학습 방향

사고력	35점 이상	정확하게 답안을 작성하는 연습을 하세요.
	24~34점	교과 개념과 연관된 응용문제로 문제 적응력을 기르세요.
	23점 이하	틀린 문항과 관련된 교과 개념을 다시 공부하세요.

창의성	26점 이상	보다 독창성 및 융통성 있는 아이디어를 내는 연습을 하세요.
	18~25점	다양한 관점의 아이디어를 더 내는 연습을 하세요.
	17점 이하	적절한 아이디어를 더 내는 연습을 하세요.

STEAM	26점 이상	답안을 보다 구체적으로 작성하는 연습을 하세요.
	18~25점	문제 해결 방안의 아이디어를 다양하게 내는 연습을 하세요.
	17점 이하	실생활과 관련된 과학 기사로 과학적 사고를 확장하는 연습을 하세요.

31 겨울이 되면 땀을 잘 흘리지 않으므로 땀으로 내보내야 할 수분을 소변으로 내보내기 때문이다.

요소별 채점 기준	점수
겨울에 땀을 많이 흘리지 않음을 서술한 경우	4점
땀으로 내보내야 할 수분을 소변으로 내보냄을 서술한 경우	4점

[해설]

일반인은 하루 평균 2~2.5 L 정도의 수분을 소변, 대변, 땀 등으로 내보낸다. 겨울이 되면 땀을 내보내는 양이 줄어들므로 몸속 수분의 양을 유지하기 위해 원래 땀으로 내보내야 할 수분을 소변 등으로 내보낸다. 그래서 날씨가 추우면 소변의 양이 늘어난다.

32 옷과 옷 사이에 공기층이 생겨서 우리 몸의 열이 바깥으로 나가는 것을 막아 주기 때문이다.

요소별 채점 기준	점수
옷과 옷 사이에 공기층이 생기는 것을 서술한 경우	4점
공기층이 열을 보존하는 것을 서술한 경우	4점

[해설]

두꺼운 옷 하나를 입었을 때는 공기층이 하나밖에 없지만, 얇은 옷 여러 개를 입으면 공기층이 층층이 생겨서 열을 매우 잘 보존해준다.

33 달은 스스로 빛을 내지 못하지만, 햇빛을 반사하기 때문이다.

요소별 채점 기준	점수
달은 스스로 빛을 내지 못함을 서술한 경우	4점
햇빛을 반사함을 서술한 경우	4점

정답 및 해설

[해설]

깜깜한 방에 들어가면 하나도 보이지 않지만 불을 켜면 모두 보인다. 전등에서 나온 빛이 책상이나 침대에 부딪혀 반사되고, 그 반사된 빛을 보면서 '아, 저것이 책상이구나.'하고 알게 된다. 마찬가지로 스스로 빛을 낼 수 없는 달이 우리 눈에 보이는 것은 달이 태양 빛을 반사하기 때문이다. 깜깜한 우주 공간에 전등처럼 태양이 빛나고 있고, 달은 이 태양 빛을 반사해 빛난다.

34

② 페트리 접시 한 개에만 물을 주어 솜을 충분히 적신다.
③ 따뜻한 곳에 두고 변화를 관찰한다.

모범답안

요소별 채점 기준	점수
②을 바르게 서술한 경우	4점
③을 바르게 서술한 경우	4점

[해설]

실험 결과 강낭콩 씨앗은 물을 주었을 때 싹이 잘 튼다는 것을 알 수 있다. 이때 물은 적당히 주어야 한다. 너무 많이 줄 경우 씨앗이 썩을 수도 있다. 그리고 물을 주는 것 외에 다른 조건은 모두 같게 해야 강낭콩 씨앗이 싹 트는 데 물이 어떤 영향을 주는지 확인할 수 있다.

35

- 밀폐용기에 보관한다.
- 소금물에 넣어둔다.
- 설탕물에 넣어둔다.
- 식초에 담근다.

예시답안

※ 유창성 [6점]

총체적 채점 기준	점수
세 가지 방법을 서술한 경우	6점
두 가지 방법을 서술한 경우	4점
한 가지 방법을 서술한 경우	2점

※ 독창성 및 융통성 [4점]

요소별 채점 기준	점수
식초에 담그는 방법을 서술한 경우	2점
사과를 밀폐하는 방법을 서술한 경우	2점

[해설]

갈변 현상은 산소와 만나지 않으면 일어나지 않기 때문에 사과를 밀폐용기나 소금물 또는 설탕물 속에 담가두면 방지할 수 있다. 식초에 담가두면 효소의 활동을 줄여주고, 열을 가하면 효소의 생명력이 떨어져 갈변을 억제할 수 있다.

36

- 모기는 운동을 하지 않은 사람보다 운동을 한 사람을 더 잘 문다.
- 수컷 모기보다 암컷 모기가 더 많이 문다.
- 모기는 호흡이 적은 사람보다 많은 사람을 더 잘 문다.
- 암컷 모기가 많이 무는 이유는 배 속에 있는 알에 영양분을 공급하기 위해서이다.
- 모기는 호흡할 때 나오는 이산화 탄소를 잘 감지한다.

예시답안

※ 유창성 [6점]

총체적 채점 기준	점수
다섯 가지를 서술한 경우	6점
네 가지를 서술한 경우	5점
세 가지를 서술한 경우	4점
두 가지를 서술한 경우	2점
한 가지를 서술한 경우	1점

※ 독창성 및 융통성 [4점]

요소별 채점 기준	점수
암컷 모기가 많이 무는 이유를 서술한 경우	2점
모기가 이산화 탄소를 잘 감지함을 서술한 경우	2점

[해설]

모기는 뛰어난 이산화 탄소 감지 능력으로 사람의 위치를 알아낸다. 모기가 사람의 얼굴 주변에서 윙윙거리는 것은 코에서 나오는 이산화 탄소 때문이다. 열이 많고 젖산 분비가 활발한 어린 아기도 물릴 확률이 높다. 모기는 땀 냄새, 발 냄새, 화장품·바디용품·향수 냄새 등을 좋아한다. 저녁이나 밤에 땀을 흘리고 씻지 않은 채 자면 모기에 물릴 각오를 해야 한다. 다른 부위보다 다리를 많이 물리는 이유는 다리에서 젖산이 많이 분비되기 때문이다. 또 모기는 푸른색, 보라색, 검은색 같은 어두운색을 좋아하기 때문에 어두운색 옷을 즐겨 입는 사람도 모기에 물릴 가능성이 높다. 모기가 피를 먹는 것은 배가 고파서라기보다 알을 낳는 데 필요한 단백질을 섭취하기 위해서이다. 피를 많이 빨아 먹을수록 더 많은 알을 낳아 번식시킬 수 있다.

정답 및 해설

37

- 실내에 가습기를 사용하거나 젖은 빨래 등을 널어둔다.
- 손을 자주 씻어 물기가 남아 있도록 한다.
- 손에 보습 로션을 발라 피부를 촉촉하게 해준다.
- 문 손잡이를 헝겊으로 덮어 둔다.
- 차를 타거나 내릴 때 동전이나 열쇠 등으로 차를 툭툭 건드린다.
- 정전기가 덜 생기는 옷을 입는다.

※ 유창성 [6점]

총체적 채점 기준	점수
다섯 가지 방법을 서술한 경우	6점
네 가지 방법을 서술한 경우	5점
세 가지 방법을 서술한 경우	4점
두 가지 방법을 서술한 경우	2점
한 가지 방법을 서술한 경우	1점

※ 독창성 및 융통성 [4점]

요소별 채점 기준	점수
차를 툭툭 건드리고 타는 방법을 서술한 경우	2점
손에 보습 로션을 바르는 방법을 서술한 경우	2점

[해설]

겨울에 자동차 문 손잡이에서 생기는 정전기를 예방하려면 차를 타거나 내릴 때 동전이나 열쇠 등으로 차체를 툭툭 건드리거나 내리기 전에 차 문을 열고 한쪽 손으로 차의 문짝을 잡고 발을 내디디면 된다. 이는 생겨난 정전기를 서서히 흘려보내는 효과가 있어 한꺼번에 큰 정전기가 발생하는 것을 막을 수 있다.

38

- 페트병을 만드는 데 많은 자원이 사용된다.
- 페트병을 태울 때 유해가스가 나온다.
- 페트병 하나가 썩는 데 약 100년이 걸린다.
- 페트병에서 환경 호르몬이 나온다.
- 페트병으로 인한 환경 오염으로 생물이 죽거나 기형이 된다.

※ 유창성 [6점]

총체적 채점 기준	점수
다섯 가지 방법을 서술한 경우	6점
네 가지 방법을 서술한 경우	5점
세 가지 방법을 서술한 경우	4점
두 가지 방법을 서술한 경우	2점
한 가지 방법을 서술한 경우	1점

※ 독창성 및 융통성 [4점]

요소별 채점 기준	점수
페트병을 만드는 데 많은 자원이 필요함을 서술한 경우	2점
페트병 한 개가 썩는 데 오랜 시간이 걸림을 서술한 경우	2점

[해설]

1 kg의 페트병을 생산하는 데 약 27 kg의 물과 0.9 kg의 화석 연료가 필요하고, 500 g 이상의 유해가스가 방출된다. 플라스틱은 생산되는 양보다 훨씬 더 많은 자원이 사용되는 동시에 환경을 파괴하고 있다. 버려진 페트병 하나가 썩기까지는 약 100년의 세월이 걸리고, 그 과정에서 많은 환경 오염을 일으킨다. 자연적으로 분해되지 않는 플라스틱을 태우기 위해서는 또 다른 공장 및 연료가 필요하고, 플라스틱을 태우는 과정에서 많은 유독가스가 발생된다. 태워서 소각하지 않는 수많은 양의 페트병이 썩지 않은 채 해류와 바람에 의해 바다로 떠밀려 내려가 태평양 북동쪽에는 거대한 쓰레기 섬이 만들어졌다. 우리나라 면적의 7배에 다다르는 거대한 이 섬에서는 바닷새나 바다거북 등이 죽거나 기형으로 발견되고 있다. 이 모든 악순환의 연속이 환경을 급속도로 파괴하고 지구 온난화를 일으키며 현재 우리를 위협하고 있다.

39

❶ 얼음판은 바닥면과의 마찰이 작으므로 팽이가 오랫동안 회전한다.

❷ 상수리나무나 신갈나무처럼 둥글고 넓적한 도토리의 평평한 곳에 구멍을 내고 이쑤시개를 꽂는다. 뾰족한 곳을 아래로 가게 한 후 세워서 팽이를 돌린다.

요소별 채점 기준	점수
얼음판의 마찰이 작음을 서술한 경우	3점
팽이가 오래 회전함을 서술한 경우	3점

총체적 채점 기준	점수
신갈나무나 상수리나무 도토리를 선택한 경우	3점
중앙을 뚫어 손잡이를 만든 경우	2점
도토리의 뾰족한 곳을 아래로 한 경우	3점

[해설]

❶ 팽이가 계속 움직이려면 관성이 커야 하고 팽이를 멈추게 하는 공기 저항과 마찰력은 작아야 한다.

❷ 길쭉한 도토리보다 옆으로 넓고 길이가 짧은 도토리로 팽이를 만들면 무게 중심이 아래에 위치하여 잘 넘어지지 않는다. 또한, 찌그러지지 않은 도토리로 팽이를 만들어야 기울어지지 않고 잘 돈다.

40

❶ 우리나라는 한국전력에서 전기를 만들어 공급하지만, 대부분의 전기를 석탄, 석유, 천연가스, 원자력을 통해 만들고, 이들 원료의 대부분을 수입해서 사용하기 때문이다.

요소별 채점 기준	점수
화석 연료를 이용해 전기를 생산함을 서술한 경우	4점
화석 연료를 수입에 의존하고 있음을 서술한 경우	2점

❷
- 태양전지에서 태양 빛을 이용하여 전기를 만든다. ➡ 태양광 발전
- 태양열을 모아 전기를 만든다. ➡ 태양열 발전
- 바람으로 전기를 만든다. ➡ 풍력 발전
- 파도가 가지는 에너지로 전기를 만든다. ➡ 파력 발전
- 지구 내부 열에너지로 전기를 만든다. ➡ 지열 발전
- 수소를 태울 때 발생하는 에너지로 전기를 만든다. ➡ 수소 발전
- 밀물과 썰물을 이용하여 전기를 만든다. ➡ 조력 발전, 조류 발전

총체적 채점 기준	점수
다섯 가지 방법을 서술한 경우	8점
네 가지 방법을 서술한 경우	6점
세 가지 방법을 서술한 경우	4점
두 가지 방법을 서술한 경우	2점
한 가지 방법을 서술한 경우	1점

[해설]

❶ 현재 우리가 사용하고 있는 전기는 석탄, 석유, 가스, 원자력을 통해서 생산하고 공급한다. 그러나 우리나라의 석탄은 그 양이 적고 열효율이 낮으며, 석유와 천연가스는 거의 전량 수입에 의존하고 있다. 우리나라는 매년 원료의 96 %를 수입에 의존하고 있다. 전기 원료를 수입하는 비용으로 책정된 국가 예산은 한정되어 있어 매년 급증하는 전기 수요를 모두 채울 만큼 무한정 전기 원료를 수입할 수 없으므로 국민에게 절전을 당부할 수밖에 없다.

❷ 신재생 에너지는 신에너지와 재생 에너지를 합쳐 부르는 말이다. 기존 화석 연료를 변환하여 이용하거나 햇빛, 물, 강수, 생물유기체 등을 포함하여 재생이 가능한 에너지로 변환하여 이용하는 에너지를 말한다. 재생 에너지에는 태양광, 태양열, 바이오, 풍력, 수력 등이 있고, 신에너지에는 연료 전지, 수소 에너지 등이 있다. 초기 투자 비용이 많이 든다는 단점이 있지만, 화석 에너지의 고갈과 환경 문제가 대두되면서 신재생 에너지에 대한 관심이 높아지고 있다. 최근에는 압력을 가하면 전기가 생기는 압전 소자를 이용한 발전, 버려진 열을 이용한 폐열 발전, 버려지는 돼지기름을 이용한 바이오 연료 등 다양한 대체 에너지 개발이 이루어지고 있다.

문항 구성 및 채점표

평가영역 문항	과학 사고력		과학 창의성		과학 STEAM	
	개념 이해력	탐구 능력	유창성	독창성 및 융통성	문제 파악 능력	문제 해결 능력
41	점					
42	점					
43	점					
44	점					
45			점	점		
46			점	점		
47			점	점		
48			점	점		
49					점	점
50					점	점

평가영역별 점수	개념 이해력	탐구 능력	유창성	독창성 및 융통성	문제 파악 능력	문제 해결 능력
	과학 사고력		과학 창의성		과학 STEAM	
	/ 40점		/ 30점		/ 30점	

총점	

평가 결과에 따른 학습 방향

사고력	35점 이상	정확하게 답안을 작성하는 연습을 하세요.
	24~34점	교과 개념과 연관된 응용문제로 문제 적응력을 기르세요.
	23점 이하	틀린 문항과 관련된 교과 개념을 다시 공부하세요.

창의성	26점 이상	보다 독창성 및 융통성 있는 아이디어를 내는 연습을 하세요.
	18~25점	다양한 관점의 아이디어를 더 내는 연습을 하세요.
	17점 이하	적절한 아이디어를 더 내는 연습을 하세요.

STEAM	26점 이상	답안을 보다 구체적으로 작성하는 연습을 하세요.
	18~25점	문제 해결 방안의 아이디어를 다양하게 내는 연습을 하세요.
	17점 이하	실생활과 관련된 과학 기사로 과학적 사고를 확장하는 연습을 하세요.

정답 및 해설

41 높은 곳에 올라가면 산소의 양이 줄어들므로 산소를 보충하기 위해 숨을 자주 쉬기 때문이다.

요소별 채점 기준	점수
높은 곳에 올라갈수록 산소의 양이 줄어듦을 서술한 경우	4점
산소를 보충하기 위해 숨을 자주 쉰다고 서술한 경우	4점

[해설]

지표면의 공기에는 사람이 살아가는 데 필요한 중요한 산소가 21 % 정도 포함되어 있다. 높은 곳에 올라갈수록 공기 중 산소의 양이 줄어들므로 산소를 보충하기 위해 숨을 자주 쉰다.

42 눈 속에는 많은 양의 공기가 있어, 집 밖의 찬바람은 막아 주고 이글루 안에 있는 열은 빠져나가지 못하도록 하기 때문이다.

모범답안

요소별 채점 기준	점수
눈 속에 많은 양의 공기가 있음을 서술한 경우	4점
공기가 단열재 역할을 함을 서술한 경우	4점

[해설]

열이 거의 전달되지 않아 열을 차단하는 재료를 '단열재'라고 한다. 가장 흔히 볼 수 있는 단열재는 스타이로폼이다. 눈 속에 있는 많은 양의 공기가 스타이로폼과 같은 단열재 역할을 하여 집 밖의 찬바람은 막고 빠져나가는 내부의 열을 잡아준다.

43 약간 따뜻할 때 내리는 습한 눈이 눈싸움에 적합하다.

모범답안

총체적 채점 기준	점수
눈이 내리는 날의 기온을 서술한 경우	4점
습한 눈을 서술한 경우	4점

눈은 대기 중의 구름으로부터 지상으로 떨어지는 얼음 결정이다. 눈 결정은 여러 형태를 띠며 보통 2 mm 정도의 크기이다. 눈의 종류에는 함박눈, 싸락눈, 가루눈, 진눈깨비, 날린 눈 등이 있다. 함박눈은 여러 개의 눈 결정이 달라붙어 눈송이를 형성하여 내리는 눈이다. 함박눈은 상공 1.5 km의 기온이 −10 ℃ 이하인 따뜻한 공기에서 만들어진다. 습기가 많고 결정 모양은 육각형이다. 싸락눈은 함박눈보다 기온이 낮을 때 내리는 눈으로, 백색의 불투명한 얼음 알갱이 또는 이들이 떨어지는 현상이다. 싸락눈은 상공 1.5 km의 기온이 −20 ℃ 이하인 찬 공기에서 만들어지고 결정은 기둥 모양이며, 잘 뭉쳐지지 않는다. 가루눈은 함박눈보다 미세한 눈 조각의 상태로 내리는 눈으로, 습도와 기온이 낮고 바람이 강할 때 만들어진다. 싸락눈과 가루눈은 잘 뭉쳐지지 않아 스키 타기 좋은 눈이다. 진눈깨비는 내리는 눈이 녹아서 비와 섞여 내리는 것이다. 날린 눈은 땅에 쌓여 있는 눈이 강한 바람에 날리는 눈이다. 함박눈과 같이 습한 눈은 작은 물방울을 가지고 있으므로 누르면 눈덩이로 잘 뭉쳐지지만, 싸락눈과 같이 건조한 눈은 잘 뭉쳐지지 않는다. 눈사람도 함박눈으로 만들면 잘 만들어진다. 눈은 교통 체증, 비닐하우스 붕괴, 낙상 사고 등을 일으키는 겨울철 위험한 기상 현상 중 하나이다. 그러나 눈은 비가 부족한 겨울에 건조 피해를 막아 주고 강풍으로부터 생물체를 보호해 주며, 각종 먼지가 눈에 붙으므로 공기가 깨끗해진다. 또한, 눈은 소리를 잘 흡수하므로 눈 내리는 밤엔 세상이 맑고 조용해진다.

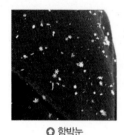   

◐ 함박눈   ◐ 싸락눈   ◐ 진눈깨비   ◐ 날린 눈

44

체온을 올려 병균이 활동하지 못하도록 하여 몸을 스스로 보호하기 위해 열이 난다.

모범답안

요소별 채점 기준	점수
체온을 올려 병균의 활동을 억제함을 서술한 경우	4점
몸을 스스로 보호하기 위해서라고 서술한 경우	4점

[해설]

몸이 아플 때 열이 나는 것은 몸을 보호하기 위한 수단이다. 따라서 열을 금방 식혀주는 것은 결코 현명한 방법이 아니다. 사람들은 흔히 감기에 걸려 열이 조금 오른다 싶으면 바로 약이나 주사로 열을 식히려고 하는데, 이렇게 하면 바이러스는 더 잘 번식한다.

정답 및 해설

45

- 얼음이 만들어진 그릇의 모양과 같다.
- 일정한 모양을 가지고 있다.
- 가장자리 부분이 투명하다.
- 얼음 가운데 부분이 뿌옇게 보인다.
- 차갑고 단단하다.

※ 유창성 [6점]

총체적 채점 기준	점수
다섯 가지 방법을 서술한 경우	6점
네 가지 방법을 서술한 경우	5점
세 가지 방법을 서술한 경우	4점
두 가지 방법을 서술한 경우	2점
한 가지 방법을 서술한 경우	1점

※ 독창성 및 융통성 [4점]

요소별 채점 기준	점수
일정한 모양을 가졌다고 서술한 경우	2점
얼음 가운데 부분이 뿌옇다고 서술한 경우	2점

[해설]

얼음은 물처럼 무색투명하다. 그런데 얼음 가운데는 물속에 녹아 있는 공기 때문에 뿌옇게 보인다. 물이 얼면서 물속에 녹아 있던 공기가 빠져나가지 못하고 조그만 공간을 이룬다. 이 공간에 빛이 통과하면 얼음이 뿌옇게 보인다. 특히 물은 바깥쪽부터 얼어서 공기들이 가운데에 몰리게 되므로 얼음의 가운데 부분이 더 뿌옇게 보인다. 맑고 투명한 얼음을 얻기 위해서는 얼리기 전에 물을 끓여 공기들을 제거해 주거나 공기들이 빠져나갈 수 있도록 충분한 시간을 주면서 서서히 얼리면 된다.

- 나비는 낮에, 나방은 밤에 날아다닌다.
- 나비의 더듬이는 가늘고 길지만, 나방은 두껍고 털이 있다.
- 나비는 밝고 화려한 색의 날개를 가지고 있지만, 나방은 단색이다.
- 나비는 몸통이 가늘고 나방은 통통하다.
- 나비는 몸통에 털이 적지만, 나방은 털이 많다.
- 나비는 날개를 접고 앉지만, 나방은 날개를 펴고 앉는다.
- 나비 애벌레는 허물을 벗고 번데기가 되지만 나방 애벌레는 부드러운 실을 뽑아내어 제 몸을 둘러싼 고치를 만든다.

※ 유창성 [6점]

총체적 채점 기준	점수
다섯 가지 방법을 서술한 경우	6점
네 가지 방법을 서술한 경우	5점
세 가지 방법을 서술한 경우	4점
두 가지 방법을 서술한 경우	2점
한 가지 방법을 서술한 경우	1점

※ 독창성 및 융통성 [4점]

요소별 채점 기준	점수
나비와 나방의 더듬이를 비교하여 서술한 경우	2점
앉았을 때 날개 모양을 서술한 경우	2점

[해설]

나비의 더듬이는 가늘고 길며 끝이 뭉툭하지만, 나방은 수컷은 두껍고 털이 많고, 암컷은 가늘고 길며 끝이 뭉툭하지 않다. 이 성질은 나비와 나방을 나누는 가장 기본적인 기준이나 예외는 있다. 털이 없는 더듬이를 가진 나방도 있으며 끝이 뭉툭하지 않은 더듬이를 가진 나비도 있다.

47

예	빛을 가리는 이유
양산, 모자	햇빛에 얼굴이 타는 것을 막아 준다.
창문의 커튼	햇빛을 받아 방안이 뜨거워지는 것을 막아 준다.
자동차 빛 가리개	햇빛을 받아 차 안이 뜨거워지는 것을 막아 준다.
색안경(선글라스)	햇빛으로부터 눈을 보호해준다.
갈색 유리병	햇빛을 받아 내용물이 상하는 것을 막아준다.

예시답안

※ 유창성 [6점]

총체적 채점 기준	점수
다섯 가지 방법을 서술한 경우	6점
네 가지 방법을 서술한 경우	5점
세 가지 방법을 서술한 경우	4점
두 가지 방법을 서술한 경우	2점
한 가지 방법을 서술한 경우	1점

※ 독창성 및 융통성 [4점]

요소별 채점 기준	점수
색안경의 예를 들고 이유를 서술한 경우	2점
갈색 유리병의 예를 들고 이유를 서술한 경우	2점

[해설]

빛을 가리는 이유는 매우 다양하다. 햇빛을 가려서 온도가 높아지는 것을 막거나 강한 빛으로부터 눈이나 피부를 보호하기 위해 빛을 가리는 경우도 있다. 그 외에도 약품의 성질이 변하지 않도록 빛을 차단하거나 식물이 마르는 것을 막기 위해 빛을 일부 차단하기도 한다. 빛을 막는 방법에는 빛을 완전히 차단하는 방법과 일부만을 가리는 방법이 있다.

48

- 얼음물이 든 컵에 물이 맺힌다.
- 추운 곳에서 따뜻한 곳으로 이동하면 안경이 뿌옇게 된다.
- 냄비에 물을 넣고 끓인 뚜껑에 물방울이 맺혀 있다.
- 차가운 유리창에 입김을 불면 뿌옇게 된다.
- 욕실에서 따뜻한 물로 샤워하면 유리창이 뿌옇게 된다.
- 풀잎에 이슬이 맺힌다.
- 안개가 생긴다.

※ 유창성 [6점]

총체적 채점 기준	점수
다섯 가지 방법을 서술한 경우	6점
네 가지 방법을 서술한 경우	5점
세 가지 방법을 서술한 경우	4점
두 가지 방법을 서술한 경우	2점
한 가지 방법을 서술한 경우	1점

※ 독창성 및 융통성 [4점]

요소별 채점 기준	점수
안경이 뿌옇게 되는 경우를 서술한 경우	2점
얼음물이 든 컵에 물이 맺힘을 서술한 경우	2점

[해설]

우리 눈에 보이지 않지만, 공기 중에는 많은 양의 수증기가 포함되어 있다. 기체 상태인 수증기는 온도가 낮은 물체에 닿으면 액체 상태인 물로 변한다. 이처럼 우리 눈에 보이지 않는 수증기가 액체 상태인 물이 되는 현상을 응결 또는 액화라고 한다. 얼음물이 든 컵에 맺힌 물방울은 공기 중의 수증기가 차가운 컵의 바깥쪽 표면에 닿아 변한 것이다. 반면 뜨거운 물이 든 컵 속에 맺힌 물방울은 컵 속의 물에서 증발해 나온 수증기가 온도가 낮은 컵 안쪽 표면에 닿아 변한 것이다.

49

❶

- 눈 표면에 수분을 공급한다.
- 눈 표면에 산소와 영양분을 공급한다.
- 눈 표면을 매끄럽게 해주어 깨끗하게 보이도록 한다.
- 눈 표면에 눈물층을 형성하여 눈꺼풀의 마찰을 줄인다.
- 눈 표면에 있는 찌꺼기를 씻어내고 살균 작용을 한다.

총체적 채점 기준	점수
세 가지 역할을 서술한 경우	6점
두 가지 역할을 서술한 경우	4점
한 가지 역할을 서술한 경우	2점

❷

- 꼭 필요한 경우에만 스마트폰을 사용한다.
- 뇌가 휴식할 수 있도록 쉴 때는 스마트폰을 사용하지 않는다.
- 눈과 목이 피로하지 않도록 한 번에 30분 이상씩 사용하지 않는다.
- 오랜 시간 사용했다면 10~15분 정도 목 스트레칭을 한다.
- 불면증을 유발하므로 잠자기 한 시간 전에는 사용하지 않는다.
- 눈이 피로하지 않도록 스마트폰 화면 밝기를 너무 밝게 하지 않는다.
- 스마트폰 사용 시 의식적으로 눈을 깜박인다.
- 고개를 숙여 스마트폰을 들여다보지 말고 눈과 수평에 가깝게 올려 두고 사용한다.
- 메신저 메시지를 바로 확인하고 바로 답해야 한다는 강박관념을 버린다.
- 스마트폰을 사용하지 않을 때는 보이지 않는 곳에 둔다.
- 스마트폰을 너무 꽉 쥐지 않는다.

총체적 채점 기준	점수
다섯 가지 방법을 서술할 경우	8점
네 가지 방법을 서술한 경우	6점
세 가지 방법을 서술한 경우	4점
두 가지 방법을 서술한 경우	2점
한 가지 방법을 서술한 경우	1점

[해설]

❶ 눈물에는 기본적인 눈물과 반사적인 눈물이 있다. 기본적인 눈물이란 항상 일정하게 지속적으로 나와 눈 표면을 촉촉하게 적셔 주는 윤활유 역할을 하고, 반사적인 눈물은 눈에 이물질이 들어가는 등 외부 자극에 의한 눈물 또는 아프거나 슬플 때 개인의 감정에 의해 나오는 눈물이다. 안구건조증은 기본적인 눈물이 부족한 경우에 생긴다.

❷ 하루 3~4시간 이상 스마트폰에 매달리면 중독을 의심해야 한다. 한번 중독에 빠져들게 되면 극복하기 위해서 많은 노력과 시간이 필요하다. 그래서 중독되지 않기 위한 예방이 매우 중요하다. 인터넷이나 스마트폰은 생활 도구이기 때문에 사용을 완전히 끊는다는 것은 거의 불가능하다. 마약이나 술, 담배 등에 중독된 경우에는 치료를 위해 완전히 끊는 것이 필요하지만, 인터넷이나 스마트폰 중독의 경우에는 치료를 위해 '사용 금지'보다는 '적절한 사용'이 필요하다.

정답 및 해설

50

❶
- 새들은 따뜻한 곳으로 날아간다.
- 개구리나 뱀은 겨울잠을 잔다.
- 북극여우와 토끼는 흰색으로 털갈이하여 눈에 잘 띄지 않도록 한다.
- 나비와 잠자리는 알이나 번데기로 겨울을 난다.

총체적 채점 기준	점수
세 가지 방법을 서술한 경우	6점
두 가지 방법을 서술한 경우	4점
한 가지 방법을 서술한 경우	2점

❷
- 열선이 깔린 바위에서 지낸다.
- 전열 기구를 설치하고 전열 기구 주위에서 따뜻하게 지낸다.
- 단백질이나 지방이 많이 포함된 음식을 먹는다.
- 서로의 체온을 이용해 몸을 데우기 위해서 옹기종기 모여 있다.

총체적 채점 기준	점수
세 가지 방법을 서술한 경우	8점
두 가지 방법을 서술한 경우	5점
한 가지 방법을 서술한 경우	2점

[해설]

❶ 춥고 먹을 것이 부족한 계절이 다가오면 변온 동물은 겨울잠을 잘 준비를 한다. 변온 동물은 스스로 체온을 조절할 수 있는 능력이 없으므로 겨울이 되면 가사 상태(죽은 상태와 비슷함)로 잠을 잔다. 남생이나 도롱뇽의 경우 겨울 동안 한 번도 깨지 않고 긴 겨울잠을 잔다.

정온 동물인 포유류 중 일부는 추운 겨울이 되어 먹을 것을 찾기 어려워지면 따뜻한 땅속이나 나무 밑에서 겨울잠을 잔다. 곰이나 다람쥐는 가끔 깨어나 먹이를 먹고 배설을 하기도 한다. 다람쥐의 경우 보통 생활할 때는 심장이 1분에 150번 정도 뛰는데 겨울잠을 자는 동안은 1분에 5번 정도만 뛴다. 거의 죽은 상태처럼 겨울잠을 자며 겨울을 보낸다.

❷ 열대지방 동물들은 예전에는 추운 겨울이 되면 우리에서 갇혀 지냈지만, 요즘에는 전열 기구를 이용한 난방으로 실내외를 드나든다. 알락꼬리여우원숭이는 전열기 아래에서 서로 몸을 맞댄 채 옹기종기 모여 지내고, 사자는 열선이 있는 바위 주위로 모여든다. 원숭이들도 따뜻한 물(온천) 주변이나 햇볕을 찾아다닌다. 프레리도그의 방에는 따뜻한 짚을 깔아준다. 히말라야 곰은 털이 더 길어지고 빽빽하게 자란다. 북극곰, 자카스, 펭귄 등은 겨울을 즐긴다. 활동력이 풍부해져 수영을 많이 하고, 물에 있는 시간이 길어진다.

❶ 전열기 아래 원숭이

❶ 온천하는 원숭이

❶ 모여 있는 알락꼬리여우원숭이

❶ 열선이 깔린 바위 위의 사막여우

안쌤이 추천하는
영재교육원 대비 1,2학년 로드맵

STEP

문제해결력

안쌤의 창의적 문제해결력 수학   안쌤의 창의적 문제해결력 수학

STEP

실전파이널

안쌤의 창의적 문제해결력 파이널 수학, 과학 50제

STEP

실전테스트

안쌤의 창의적 문제해결력 모의고사 시리즈 초등 1. 2학년

안쌤의
창의적 문제해결력 시리즈

초등 1~2 학년

초등 3~4 학년

초등 5~6 학년

중등 1~2 학년

영재교육원 영재학급 관찰추천제 대비

5일 완성 프로젝트
파이널
안쌤의 창의적 문제해결력
과학 50제

초등
1~2
학년

영재교육원 영재학급 관찰추천제 대비

5일 완성 프로젝트
파이널
안쌤의 창의적 문제해결력
과학 50제

초등
3~4
학년

영재교육원 영재학급 관찰추천제 대비

5일 완성 프로젝트
파이널
안쌤의 창의적 문제해결력
과학 50제

초등
5~6
학년

영재교육원 영재학급 관찰추천제 대비

5일 완성 프로젝트
파이널
안쌤의 창의적 문제해결력
과학 50제

중등
1~2
학년

안쌤의 창의적 문제해결력 시리즈

초등 1·2학년
안쌤의 창의적 문제해결력 수학 1·2학년
안쌤의 창의적 문제해결력 과학 1·2학년
안쌤의 창의적 문제해결력 파이널 수학 50제 1·2학년
안쌤의 창의적 문제해결력 파이널 과학 50제 1·2학년
안쌤의 창의적 문제해결력 모의고사 1·2학년 (수학 과학 공통)

초등 3·4학년
안쌤의 창의적 문제해결력 수학 3·4학년
안쌤의 창의적 문제해결력 과학 3·4학년
안쌤의 창의적 문제해결력 파이널 수학 50제 3·4학년
안쌤의 창의적 문제해결력 파이널 과학 50제 3·4학년
안쌤의 창의적 문제해결력 모의고사 3·4학년 (수학 과학 공통)

초등 5·6학년
안쌤의 창의적 문제해결력 수학 5·6학년
안쌤의 창의적 문제해결력 과학 5·6학년
안쌤의 창의적 문제해결력 파이널 수학 50제 5·6학년
안쌤의 창의적 문제해결력 파이널 과학 50제 5·6학년
안쌤의 창의적 문제해결력 모의고사 5·6학년 (수학 과학 공통)

중등 1·2학년
안쌤의 창의적 문제해결력 파이널 수학 50제 중등 1·2학년
안쌤의 창의적 문제해결력 파이널 과학 50제 중등 1·2학년
안쌤의 창의적 문제해결력 모의고사 중등 1·2학년 (수학 과학 공통)

 매스티안

펴낸곳 ㈜타임교육　**펴낸이** 이길호
지은이 안쌤 영재교육연구소 (안재범, 최은화, 유나영, 이상호, 추진희, 오아린, 허재이, 이민숙, 이나연, 김혜진, 신혜진)
주소 서울특별시 강남구 봉은사로 442　**연락처** 1588-6066

팩토카페 http://cafe.naver.com/factos
안쌤카페 http://cafe.naver.com/xmrahrrhrhghkr

자율안전확인신고필증번호: B361H200-4001
1. 주소 : 04799 서울특별시 강남구 봉은사로 442
2. 문의전화 : 1588-6066
3. 제조년월 : 2019년 7월
4. 제조국 : 대한민국
5. 사용연령 : 8세 이상
※ KC마크는 이 제품이 공통안전기준에 적합하였음을 의미합니다.

⚠ 주의
종이, 모서리에 다칠 수 있으니 주의하세요!

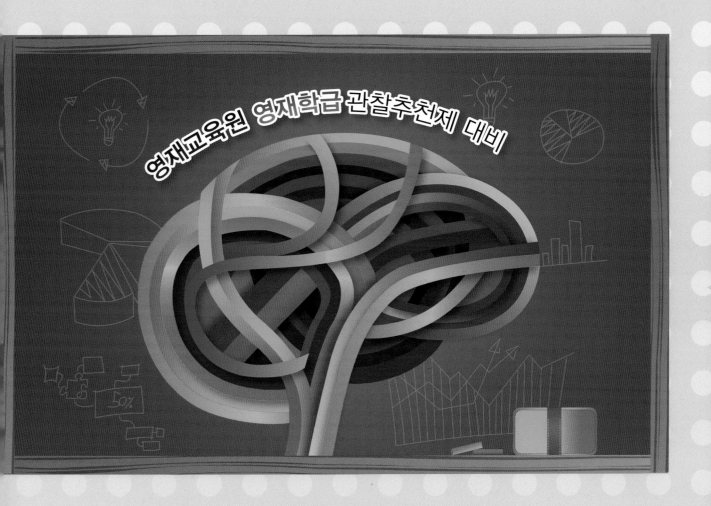

영재교육원 영재학급 관찰추천제 대비

안쌤의
「창의적 문제 해결력」수학 과학 공통

모의고사

① 모의고사[4회]

- 최근 시행된 전국 관찰추천제 기출 완벽 분석 및 반영
- 서울권 창의적 문제해결력 평가 대비
- 영재성검사, 학문적성검사, 창의적 문제해결력 검사 대비

② 평가 가이드 및 부록

- 영역별 점수에 따른 학습 방향 제시와 차별화된
  평가 가이드 수록
- 창의적 문제해결력 평가와 면접 기출유형 및
  예시답안이 포함된 관찰추천제 사용설명서 수록

안쌤의
줄기과학 시리즈

새 교육과정
3~4학년
학기별
STEAM 과학

3-1 **8강** 3-2 **8강**   4-1 **8강** 4-2 **8강**

새 교육과정
5~6학년
학기별
STEAM 과학

5-1 **8강** 5-2 **8강**   6-1 **8강** 6-2 **8강**

새 교육과정
중등 영역별
STEAM 과학

물리학 **24강**   화학 **16강**   생명과학 **16강**   지구과학 **16강**   물리학 워크북   화학 워크북